Cuentos hondureños

letra Grande

En esta misma colección.-

serie maior

Cuentos hondureños

Arturo Martínez Galindo
Argentina Díaz Lozano
Alejandro Castro h.
Oscar Acosta
Leticia de Oyuela
Julio Escoto
Jorge Medina García
Roberto Castillo
Rony Bonilla
Lety Elvir

Selección y presentación: Leda Chávez Mayorquín

 **Editorial Popular**

©   Editorial Popular
      C/ Doctor Esquerdo, 173 6º Izqda. Madrid 28007
      Tel.: 91 409 35 73 Fax: 91 573 41 73
      E-Mail: epopular@infornet.es
      http://www.editorialpopular.com

      Diseño de colección: M. Spotti
      Ilustración de portada: José Luis del Río

      Imprime: Cofás

      I.S.B.N.: 84-7884-303-5
      Depósito Legal: M-37.357-2005

      IMPRESO EN ESPANA - PRINTED IN SPAIN

PRESENTACIÓN

LEDA CHÁVEZ MAYORQUÍN

Los inicios del cuento hondureño se ubican, en el contexto nacional, bajo el movimiento literario denominado Romanticismo que, en la segunda mitad del siglo XIX, ya imperaba en Latinoamérica. Así, los primeros cuentos reflejan no sólo el enfoque sentimentalista de los autores, sino su necesidad de cuestionar la situación política y social que los rodeaba.

Para Helen Umaña, en Honduras: "Los iniciales textos narrativos carecen de la madurez formal que, por esa época, encontramos en otras latitudes. Sin embargo, representan los primeros andares por los caminos de la prosa creativa y, con ellos, los autores hondureños empiezan a ejercitar el libre juego imaginativo que, andando el tiempo, daría con el triunfo pleno del texto de ficción".[1]

La historia de la cuentística hondureña está ligada a los escritores que, dentro de su labor creativa, incursio-

[1] Helen Umaña. *Panorama crítico del cuento hondureño.* Editorial Letra Negra, Guatemala, 1999.

naron en diferentes campos literarios; así, muchos de ellos han destacado como novelistas y poetas, incluso como ensayistas, dejando a la vez su legado a la cuentística.

En este contexto, seleccionar una muestra breve de los cuentistas más representativos se vuelve una tarea difícil, pues significa dejar por fuera una buena cantidad de autores que incursionaron en este género. Sin embargo, pensamos que esta muestra, con el riesgo apuntado, proporciona un panorama bastante amplio de los cuentistas hondureños.

Como es de esperar, cada autor representa una época —la cual se refleja en sus narraciones— de la historia nacional; cada autor se ha apropiado de su realidad para trastocarla y construir una visión particular que se traduce en la creación de obras literarias que reflejan su cosmovisión.

Cada uno de los autores aquí presentados, ha cumplido un papel preeminente en la literatura hondureña; por tal razón es preciso señalar, en términos generales, cuál ha sido su contribución.

La principal producción literaria de Arturo Martínez Galindo se realizó casi en una década (1923-1932); se ubica en los movimientos literarios pertenecientes al postmodernismo, regionalismo y a la prevanguardia. Se reconoce en este autor su gran capacidad para mantener un hilo conductor en toda su creación cuentística. Éste se materializa en temas difíciles que abordan conflictos sociales y sicológicos, tales como los tabúes sexuales: violación, incesto, infidelidad de la mujer, etc. A juicio de los estudiosos de la literatura hondureña, Martínez Galindo es uno de los autores más importantes del siglo XX en el país.

La creación literaria de Argentina Díaz Lozano —ubicada en el movimiento del postmodernismo— se enmarca en una visión romántica de la vida. Un tema recurrente en sus cuentos es el amor sufrido de las mujeres, aunque también hay asomos de humor y reivindicación social en sus personajes femeninos. Díaz Lozano fue una de las pocas mujeres de su época que pudo estudiar fuera del país, desarrollar una prolífera vida literaria y obtener premios nacionales e internacionales por sus creaciones literarias.

Alejandro Castro ocupa un lugar primordial en el desarrollo de la cuentística, debido a su profunda preocupación por los problemas sociales del país; además, evidencia en sus cuentos una gran capacidad para plantear los prejuicios, que conviven a la par de las necesidades humanas de algunos de sus personajes. Su creación literaria se caracterizó por un marcado criollismo que, aunque limitó la caracterización de sus personajes, no le impidió narrar con un impulso decisivo. A pesar de su escasa producción —sólo dos libros publicados—, sus cuentos son incuestionables joyas de la literatura hondureña.

La capacidad narrativa de Oscar Acosta lo ha convertido en uno de los autores renovadores del cuento hondureño. Sus narraciones irrumpen en la cuentística local —en una etapa de realismo social—, abriendo una brecha que da inicio a los relatos caracterizados por la fantasía y lo maravilloso. Su obra representa un cambio drástico en la literatura hondureña, mediante la creación de cuentos bastante cortos, que abordan temas universales.

El principal aporte a la cuentística hondureña que hace la obra de Leticia de Oyuela, es presentar historias basadas en hechos documentados; recrea, de esta forma, sentimientos y vivencias de personas que protagonizaron hechos relevantes de la realidad nacional. Aunque sus cuentos tienen un origen histórico, el manejo eficiente que hace de las técnicas narrativas convierten sus relatos en verdaderas muestras de la literatura hondureña. En su producción literaria la mujer ocupa un papel protagónico. Así, la autora expone su visión de la mujer hondureña como eje de la sociedad y de la familia. La obra de Leticia de Oyuela —inscrita en la corriente del vanguardismo— ocupa un lugar destacado dentro de las actuales tendencias narrativas del país.

La obra narrativa de Julio Escoto ha impregnado la literatura nacional con su aire innovador; ha incursionado en diversas formas de expresión, incluyendo el periodismo de opinión y la crítica literaria. Por ello es reconocido como un autor que expresa con propiedad su personal visión del mundo.

Los cuentos de Jorge Medina García tienen un innegable sello de denuncia social e ironía, razón por la cual se han ganado un sitio de honor en la actual producción literaria. A pesar de que su aparición en el ambiente de las letras hondureñas es relativamente reciente, la calidad de sus cuentos —salpicados de cierto humor negro—, le garantizan a Medina García un futuro literario promisorio.

La obra de Roberto Castillo es una buena muestra del vanguardismo latinoamericano; sus piezas literarias, ricas en hondureñismos, revelan la cultura lingüística y social de un pueblo que en poco se diferencia del resto de los pueblos de la región. En sus relatos plasma su capacidad de observador social, planteando hechos que obligan al lector a reflexionar y a sonreír con cierta amargura. Castillo, además, ha sido el creador del primer texto literario que ha sido llevado a la pantalla grande en Honduras: el cuento *Anita la cazadora de insectos*.

Rony Bonilla es un cuentista por excelencia, cuyas historias retratan el fatalismo que subyace en las mentalidades de muchos hondureños. Su obra destaca en el ámbito de la narrativa hondureña porque enfrenta el tema de la muerte visto desde la perspectiva de la vida de sus protagonistas.

Aunque su compromiso literario está, en primer lugar, con la poesía, Lety Elvir se perfila como una de las narradoras más prometedoras de la literatura hondureña actual. Al igual que con sus poemas, irrumpe en la cuentística nacional con su sello particular: la lucha de las mujeres por alcanzar el puesto que se merecen en la sociedad, mediante la búsqueda incansable de ese *yo* femenino, sexual y espiritual a la vez. Lety Elvir se ha ganado un lugar en la narrativa hondureña con su atrevida voz que, rompiendo cánones morales, deja claro que la libertad sexual es también un derecho de las mujeres.

Nuestro deseo es que esta pequeña muestra del cuento hondureño sirva de ventana a los lectores que están fuera de nuestras fronteras para que conozcan lo que aquí se escribe; pero, sobre todo, para que perciban el sentir y pensar de un pueblo que tiene raíces comunes con todas las naciones de habla hispana.

Leda Chávez Mayorquín (1963). Licenciada en Letras, UNAH; diplomada en Lengua y Literatura Española, ICI, Madrid; y egresada de la maestría en Gestión del Riesgo, UNAH. Ha ejercido la docencia en el nivel medio y superior desde hace más de diez años. También ha incursionado en áreas de la educación alternativa, como la capacitación a facilitadores educativos y educación a distancia mediante la radio interactiva. En los últimos años se ha desempeñado como editora de textos; en la actualidad labora como editora en Editorial Guaymuras, en Tegucigalpa.

LA AMENAZA INVISIBLE

ARTURO MARTÍNEZ GALINDO

A pesar de su magno nombre, Romana siempre fue una chiquilla frágil. Pudo creérsela víctima de algún extraño morbo al ver sus mejillas pálidas, su frente pálida y sus labios exangües y secos, como cansados de besar. Pero no. Su palidez era como un gran temor ante su tardía nubilidad. Las tocas conventuales hubiéranle venido a maravilla para crear una suerte de abadesa ambarina, atormentada por las tentaciones y los cilicios, como aquellas monjas pálidas que se durmieron en el seno del Señor en los atardeceres desmayados, con las manos como lirios marchitos, cruzadas santamente sobre el busto tácito.

Romana era una poquita cosa; una de esas virginidades inofensivas que no son apropiadas para encender la sangre de los hombres. Tenía los cabellos rubios, de un rubio desteñido y simplón; los ojos claros y fríos como los de ciertas muñecas que se aburren en los bazares, y la voz, un hilo tenue en que se adelgazaba el sonido.

Vivía en una pequeña quinta suburbana, que se recataba tras las frondas de un huerto. Hija única, era ella sola para cosechar las blanduras maternales de doña Leonor. Esta mujer había tenido una historia galante de placer y de pecado. Corrió mucho mundo. Fue amada por magnates porque ella sabía mantener siempre rebosante la copa de las tentaciones, y más de alguno perdió su cordura en el abismo de los ojos verdes de doña Leonor. Había sido una de esas hembras envenenadoras que parecen llevar el sexo difundido en todo su ser: sexuales la risa y la sonrisa, el andar perezoso y la voz, la mirada de incendio y el gesto sabio, la curva de escándalo y la leyenda equívoca.

Pero... quedábale algún resquicio de vulgaridad cuando, al doblar la cuarentena, tuvo el cuidado burgués de concebir a Romana. Y no fue menor su espíritu de defensa cuando pudo, entre mimos y lágrimas, atar la vida de su hija a la opulencia de don Gil.

Don Gil, su último amante, se dejó convencer fácilmente —y qué aire triunfador se gastaba por aquellos días—, halagados sus sesenta años por aquella abertura de consecuencias.

Asegurado un porvenir tranquilo, doña Leonor empezó a ser realmente doña Leonor. Olvidó su nombre cortesano —tal vez Zazá, quizá Manón—, porque quería, en el olvido de su casita blanca, al margen de la ciudad bullanguera, contar sus primeras canas, observar sus primeras arrugas y captar las caricias dulzonas e inofensivas de don Gil, cuyas manos sabían escribir, de fecha en fecha, cheques bancarios consoladores.

Cierto es que don Gil era gordo, que usaba mostachos anticuados, que se reía a carcajadas y que tenía los dientes postizos, pero... doña Leonor no era ya la cortesana elástica, la varona encendida de juventud y de pecado. Todo su antiguo encanto, primaveral y perverso, se había mustiado; el soplo del tiempo la había desnudado, así como el soplo del huracán desnuda al árbol; al igual que las hojas viajeras, sus galas volaron una a una en el ala del tiempo.

Aquella noche... don Gil, arrellanado en la muelle butaca, fumaba plácidamente; doña Leonor, inmóvil frente a él, ligeramente recostada en un diván, parecía hundida en evocaciones; los párpados caídos y las pestañas largas sombreando los ojos verdes. Romana tocaba al violín una serenata melancólica de Moskowsky; la silueta de la nena se idealizaba en el vano del balcón, rebosante de luz lunar; una pantalla inmensa velaba la bombilla eléctrica. Las notas se elevaban del cordaje, limpias, una a una, como las cuentas fúlgidas de un rosario fantástico; lentamente, como las arenas mudas de algún reloj milenario. De pronto cesó bruscamente la música en un desacorde doloroso y desconsolado. Romana, como una gata friolenta, vino a esconderse en el regazo de doña Leonor.

—No puedo más —musitó— no puedo más...

Había en su voz cierta inflexión, atormentada como si quisiera sollozar. Don Gil, los ojos fijos en las espiras de humo azul de su cigarro, como si siguiera un pensamiento íntimo, preguntó:

—Leonor, ¿te acuerdas de Vladimir, el violinista ruso?

—¿Por qué? —interrogó a su vez la voz exaltada de doña Leonor.

—Por nada, mujer. Se me vino al recuerdo. Era un gran artista.

—Era un gran artista... —repitió la voz calmada de doña Leonor.

—Le conocimos en Viena, ¿recuerdas? Fue el mismo año en que nació nuestra Romana. Estaba un poco tísico, el pobre. Paréceme que murió poco después.

Doña Leonor, pálida y muda, oprimió contra su pecho la cabeza rubia de Romana, y sus brazos robustos apretaron el cuerpo frágil de aquella muñeca, como si quisiera librarla de una amenaza invisible.

Si don Gil no hubiese sido corto de vista, habría podido advertir en los ojos verdes y en las pestañas largas de doña Leonor, unas gotitas claras que se parecían mucho a las lágrimas.

1924

17

Arturo Martínez Galindo (1903-1940). Narrador y periodista. Estudió Derecho. Como periodista colaboró con *El Cronista* y en la revista editada en Nueva York, *El Continente*. Fundó, junto con Froylán Turcios, la revista *Ariel*, en 1925. Murió asesinado a los 37 años.

OBRA. **Cuento:** *Sombra* (1940); *Cuentos metropolitanos* (póstumo, 1983); *Cuentos completos* (póstumos, 1996).

LA NINA PRISCA

ARGENTINA DÍAZ LOZANO

Se llamaba Prisca y llevaba uno de los apellidos más antiguos y respetados de la ciudad. Tenía ya 80 años cuando yo la conocí. Vivía en su casona de balcones enrejados y corredor al fondo, cuya pieza principal en esquina daba albergue a una refresquería o fuente de soda, donde también se vendían en encantadora promiscuidad y mezcolanza: dulces, panes, tapetes de crochet que ella hacía, ajuares para bautismos y primeras comuniones, listones, trajecitos de niños, etc.

Yo la conocí por su fama, nada más. Sabía que la anciana tenía una de las lenguas más temidas de la ciudad. Era como esos periódicos de censura a los que se teme, pero son también respetados. Sus agudezas, su ingenio, su acierto en la mordacidad contra nuestros políticos sobresalientes y mujeres de sociedad eran famosos. Por eso llegué con cierto temor anidado allá en un rincón de mi corazón, a la casona que se levantaba atrás de la Catedral. Iba a ver a la niña Prisca para tratar el alquiler de un bonito y amplio apartamento que había arreglado contiguo a su casa. Lejos estaba yo de imaginarme que esa tarde conocería a un ser inolvidable, a una mujer que era todo un carácter.

Una de sus hijas de crianza, mujeres que pasaban ya de los cuarenta años, severas y huesudas en su prematura vejez, que atendían en la refresquería y le servían en todo, fue a anunciarme. Me hizo pasar a una sala muy ordenada, amueblada con antiguas mecedoras de complicadas patas, cuyos espaldares estaban adornados con fundas de crochet. Una alfombra oscura cubría el piso y la habitación estaba en penumbra discreta. Apenas si por una ventana intentaba pasar el sol a través de una pesada cortina color amaranto.

Cuando entró la niña Prisca me puse de pie, tratando de ocultar mi sorpresa, porque no representaba más de 65 años y porque era la anciana más erguida y alta que he conocido. Llevaba un vestido negro de escote muy alto, cubriéndole hasta media garganta, con falda desgarbada, larga, muy larga, como exigían sus largas piernas. Además de alta, era llena, bien llena. Su cabeza completamente blanca, de cabellos relucientes, anudados sobre la nuca, y en el semblante pálido una sonrisa cordial, quizá un poco picaresca, juvenil, y unos ojos pequeños, negros, levemente astutos. La saludé, le dije el objeto de

19

mi visita y entablamos conversación. Una conversación en que yo hacía esfuerzos por mantenerme a la altura intelectual de mi interlocutora y sobre todo, de su ingenio. Apenas contaba yo entonces con veinte años. Varias veces solté la risa ante sus salidas y picantes comentarios. Le fui simpática (¡Gracias a Dios!) porque me dijo que se alegraría mucho de tenerme por vecina, siquiera por cuatro meses, mientras terminaban la construcción de mi casa.

Recuerdo que esa fue una época dura en mi vida. Circunstancias penosas nos habían obligado a vender nuestra hermosa casa, en la que estaban bellos recuerdos míos, y para mientras nos construían otra modesta en las afueras de la ciudad capital, habíamos buscado el apartamento de la niña Prisca.

Total, que a los pocos días estábamos instalados al lado de la refresquería más simpática y original que he conocido. Y convertidos en vecinos de la famosa anciana. ¿Anciana ...? ¡Si tenía más jovialidad que cinco estudiantes locos!

Siempre tenía visitas, especialmente por las noches. Políticos de nota, mujeres de lo que en las ciudades pequeñas llaman de buena sociedad, muchachas casaderas, estudiantes... Yo también me convertí en su asidua visitante. Casi todas las noches iba a conversar un ratito con ella. A saber el último chisme y a reírme un poco.

Todos los asistentes a sus tertulias sabíamos que también se nos llegaría el turno de ser acremente criticados por la anciana, o puestos en ridículo, pero no nos importaba. ¡Era tan ingeniosa y divertida! De antemano le perdonábamos el que también nos hiciera protagonistas de alguna frase de censura o chiste.

Recuerdo que mientras hablaba, apenas si dejaba su labor de crochet. Muchas veces sacaba un par de barajas para decirnos con la sonrisa más dulce de su repertorio:

—¿Quién quiere jugar conmigo una partida de banco ruso? Porque... ¡Vaya que la pícara anciana sabía ser suave y tierna cuando quería! Y mientras jugaba la partida, no perdía el hilo de la conversación con los demás, para salpicarla con alguna salida graciosa, picante y oportuna.

El sacerdote que oficiaba misa diaria en la Catedral, solía ir a tomar un refresco todas las tardes, a eso de las cuatro, a la refresquería de la niña Prisca. Tenía el buen señor una quijada protuberante, una cara larga... larguísima. La anciana, con aquel modo de niña traviesa, decía a sus hijas de casa, cuando ya iban siendo las cuatro:

—No tardará en venir por su refresco el padre Cara de Caballo. A ver qué me cuenta hoy... es tan conversador y simpático.

Y así se fue generalizando en la ciudad el apodo puesto por ella al cura.

En Tegucigalpa se sabía todo con respecto a todos. Quién sabe cómo llegó a oídos del padre, el largo y descriptivo apodo. Un día, queriendo confundirla, y mientras bebía tranquilamente su refresco de mora, le dijo de primas a primeras, como para no darle tiempo a prepararse:

—¿Quiere decirme por qué, niña Prisca, me ha puesto usted Cara de Caballo?

Y la respuesta, rápida, certera, acompañada de la más inocente y pícara sonrisa, vino instantánea:

—Yo no se la he puesto padre, Dios se la puso y de eso no tengo yo la culpa.

Claro que los dos soltaron la risa y quedaron de buenos amigos, aunque la anciana no era católica ni visitaba jamás ninguna iglesia.

La víctima más importante de los mordaces comentarios de la niña Prisca era el presidente de la República, a quien ella odiaba. Le remedaba su manera de andar, de hablar, de reírse. Lo ridiculizaba en las chanzas más tremendas y decía que esperaba no morirse sin ver «a ese tirano en la penitenciaría, donde ahora gimen sus víctimas».

Una noche llegó a visitarla una alta figura del gobierno, amigo suyo y también amigo del dictador. En el transcurso de la conversación, le dijo:

—Prisca, el presidente sabe que vives hablando mal de él y dice que te va a mandar a ese animal que en Olancho se come las lenguas del ganado, al *come lenguas,* para que te coma la lengua.

La respuesta vino al momento, afilada como un puñal:

—Y a él dile que le voy a mandar al *come mierda,* para que se lo coma todo hasta enfermar.

Ella misma nos contaba que había vivido en la ciudad de Guatemala durante la tiranía de Manuel Estrada Cabrera, y refería uno de los muchos motivos del porqué fue sacada como extranjera indeseable. Se celebraba una de las famosas fiestas para rendir homenaje y adulaciones al tirano. Por todas partes había arcos de flores con el nombre o las iniciales del nombre entero de Cabrera: MEC en policromas flores. Un extranjero, norteamericano o polaco, se le acercó a la niña Prisca para preguntarle en quebrado español:

—¿Qué significan estas tres letras que he visto en varias partes? ¿Esas MEC?

—Esas iniciales, señor mío, quieren decir: mierda estamos comiendo...

Por esa y otras habladas salió de Guatemala, expulsada como extranjera indeseable, la niña Prisca.

En cierta ocasión que la visitaba, encontré en la sala un viejo álbum forrado en terciopelo rojo. Estaban allí muchas fotografías de la familia y de la anciana cuando era joven, donde se mostraba muy elegante, bella en sus trajes de la época, con guantes abotonados hasta el codo y abanicos de encaje. Viendo los retratos, comenté:

—¡Qué guapa era usted, niña Prisca!... Debe usted haber tenido muchos enamorados... ¿Por qué no se casó usted?

Soltó la risa burlona para contestar:

—No creas que te voy a decir, como hacen la mayoría de las solteronas, que no me casé porque no quise. No, hija. Yo no me casé porque no hubo un valiente o desalmado que me lo propusiera. Yo me moría de ganas de casarme y con el placer más grande hubiera perdido mi libertad.

Quién sabe qué oculto pesar o decepción, qué novela hubo en la vida de ella. Porque una mujer con tanto donaire y gracejo, tiene que haber sido amada y deseada. Pero era tal su costumbre de burlarse de todo el mundo, que acababa también burlándose de sí misma y nunca hablaba de su juventud en serio.

Murió a los 82 años. Repentinamente. Casi sonriendo. Yo creo que todavía intentó burlarse de la muerte.

Argentina Díaz Lozano (1912-1999). Novelista y periodista. Su verdadero nombre fue Argentina Bueso Mejía. Estudió Periodismo en Guatemala. Colaboró con los periódicos *Diario de Centroamérica*, *El Imparcial*, *Prensa Libre* y *La Hora*. En 1943, su novela *Peregrinaje* obtuvo el Premio Latinoamericano de Novela, convocado por la editora Ferre & Rinehart y la Unión Panamericana de Washington; esta novela se publicó en inglés con el título *Enriqueta and I*. Además, sus obras han sido traducidas al francés. En 1968 se le concedió el Premio Nacional de Literatura Ramón Rosa.

OBRA. **Cuento:** *Perlas de mi rosario* (1930); *Topacios* (1940). **Novela:** *Luz en la senda* (1935); *Peregrinaje* (1943); *Mayapán* (1950); *Y tenemos que vivir* (1956); *19 días en la vida de una mujer* (1956); *Ciudad errante* (1983); *Caoba y orquídeas* (1986).

CASAS VECINAS

ALEJANDRO CASTRO H.

Las dos casas habían establecido una vecindad especial, determinada por el sello peculiar de aquella ciudad que sube siempre en busca de aire respirable. Una era achaparrada, tal si hubiera doblado el espinazo para arrebujarse en modesto chal. La otra se erguía con la firmeza erecta de un pequeño bastión que defiende comodidades burguesas. La más alta dominaba el lugar con aplastante predominio. Sus muros asomaban sobre el patio de la vecina, viendo con despectivo soslayo el pequeño mundo que allí se agitaba.

Habitaban la casa grande tres señoritas protegidas en su soltería crónica por el doble escudo de una virtud irreprochable y un apellido ilustre. Más de medio siglo transcurría desde que la familia Landívar se estableciera en la propiedad. Una abuela, el padre, la madre y otros moradores se fueron despidiendo del mundo con solemnidad y en gracia de Dios. Sólo quedaban aquellas tres mujeres, la niña Concha, la niña Socorro y la niña Rosario, absorbidas por sus devociones a San Antonio de

Padua, por los cuidados de un patrimonio bien saneado y por su celo para repeler las tentaciones que suelen cruzarse por el camino de las almas puras. Por fuera, la casa era impenetrable y adusta. Por dentro olía a tapices viejos, a sacristía y a chocolate dominguero, sorbido entre comentarios sobre la degradación de las costumbres, la confusión social de la época con tanto advenedizo surgido por allí sin que se supiera de dónde —como decía la niña Conchita— y el abandono imperdonable que el pueblo hacía de los templos.

—¡No, ya no hay fe, ya no hay fe! —repetía la niña Socorro, repasando la aguja con dulces ademanes mientras un rollizo franciscano —cuyos pulgares rosáceos ponían una nota alegre en la parda alfombra— y un coronel mostachudo, pretendiente inconfeso, asentían parsimoniosamente asomando los belfos sobre las tazas humeantes.

En la casa de abajo, el río tumultuoso de la vida seguía pasando. Las señoritas Landívar —como las llamaban en el barrio— nunca sabían a ciencia cierta quién habitaba al lado. Los ruidos de la casa chica llegaban hasta ellas en confuso rumor, como un eco amortiguado de existencias que se suceden en tropel. Corriente turbia que discurría salpicando los muros de la vivienda señorial, gente innumerable se había cobijado en la casa de alquiler. Los inquilinos llegaban y desaparecían arrastrados por el viento de la necesidad. En los rincones iba quedando el sedimento de esas vidas sin historia, el rastro de la miseria y un olor a cosa mustia. Tan pronto era la agitación de un enjambre de chiquillos harapientos como el agua quieta de una ancianidad desvalida. Un día se levantaban de allí, como revuelo de aves oscuras, gritos de gente desesperada. Alguien se moría. Otro, imprecaciones de borrachos herían la noche, soltando en el aire notas soeces. Garridas mozas tarareaban de la noche a la mañana la misma tonadilla, dulzona y pegajosa. Llegó un carpintero que se acompañaba en el trabajo contando a gritos historias procaces. Estuvo de huésped un hombre que pegaba furiosamente a su mujer y luego ocupó el sitio una mujer que tundía a su marido eternamente beodo. Un zapatero martillaba sin descanso como si hubiera querido clavetear las cuatro esquinas de la noche. Así como en la casa vecina todo era permanente, bien asentado, en ésta todo era mutable, pasajero, ondeante, pero lleno de sustancia y de calor, como la vida misma. Cuando arreciaba la marea de voces, las tres cabezas pálidas se alzaban allá arriba un breve instante y los labios exangües de la niña Rosario musitaban:

—¡Qué gente! ¡Qué gente! —más con el acento de quien no comprende, que en tono de reproche.

La casa pequeña era como una parásita aferrada a los muros de la mansión de las Landívar.

El chocolate tenía esa tarde el sabor denso y perfumado de las infusiones inocentes. Domingo con sol de oro y beatitud burguesa. Las visitas habituales y una que otra amiga, de esas que van zurciendo de casa en casa el historial menudo de los pueblos, hacían la ronda en el hogar de las señoritas Landívar.

—¿Cómo van de vecindario? —interpeló el coronel, repitiendo una pegunta que en el círculo se había hecho de rutina.

Como siempre que se trataba de cosas serias, la niña Concha tomó a su cargo la respuesta.

—¡Mal! —sentenció con voz seca, cruzando con sus hermanas, repentinamente serias, una mirada de aturdimiento.

—Han llegado dos mujeres —agregó la niña Socorro, con los ojos bajos— que al parecer llevan una vida desordenada.

Hubo una pausa inquieta. Queda, muy queda, la cola del diablo se había arrastrado por la alfombra.

—Habría que hacer algo, se podría intervenir. No es buena la vecindad del Maligno —sugirió el franciscano, con acento que destilaba azúcar celestial.

La situación quedó planteada en esos términos. Dos golondrinas venidas de ignoto horizonte se había aposentado junto al bastión de la virtud que era la casa de las señoritas Landívar. Las traía un hálito de pecado, eran mensajeras de lo mundano, enviadas del aquelarre.

Los días siguientes fueron de prueba para las tres vírgenes. En la vivienda de abajo empezaba a organizarse la existencia de las nuevas moradoras. Los peores presentimientos de las señoritas Landívar se veían cumplidos con exceso. Las mujeres de la vecindad eran lo que ellas pensaron y algo más. Aquellos tres corazones pudibundos empezaron a vivir en santo horror. Sus caras se pusieron tensas y en sus mejillas, pálidas de costumbre, aparecieron súbitos arreboles, cuando el fuego de las pasiones, que llameaba ahí cerca, lamía los tres pechos contritos.

Nunca las conveniencias se vieron peor tratadas. Nunca el vicio se arrastró tan cerca del pudor. Los oídos atónitos de las tres célibes recogían toda suerte de ecos inauditos. Risas estridentes. Chocar de cristales. Voces entrecortadas por ardor culpable. Murmullos sordos del hombre que insinúa. Y de cuando en cuando negativas fementidas: ¡Déjeme usted! ¡Déjeme usted!, dichas por una mujer que está a punto de entregarse. Cuando más capitoso era el vaho carnal que ascendía de abajo, arriba se multiplicaban las preces, crujían los rosarios bajo el apretón de la fe temerosa, se despabilaban las velas del altar. Sobre todo la niña Rosario, la menor de las hermanas, daba muestras de la mayor turbación. Tal vez por más piadosa, tal vez porque en su corazón aleteaban todavía dulces sueños primaverales, que no ignoraron ni la vida claustral ni el peso agobiante del escapulario. En sus noches de virgen desamparada soñaba que algo fascinador y terrible la ceñía toda, sorbiéndole con el aliento la vida. Despertaba en sobresalto. Oraba, apretando una medalla contra sus senos cálidos.

—La Providencia ha querido poner frente a nosotras ese cuadro de perdición. Ella también proveerá el remedio. Hay que soportar esto con paciencia cristiana.

Los ojos de la niña Concha despedían sombrío fulgor, cual los de un predicante que abomina de la carne. Corazón enjuto, frío mármol donde nunca enredará la hiedra de una caricia, aquel repentino estallido de pasiones atroces, a la puerta misma de su casto refugio, conmovía hondos repliegues de su ser. Ella no podía aspirar al amor, pero la vorágine del pecado atraía sus miradas fascinadas, arrastraba su curiosidad entre un helado estremecimiento de temor religioso.

Ciertas cosas se hacen sin previa calificación de su importancia moral. Se hacen, y eso es todo. Así, la niña Rosario había tomado la costumbre de espiar la casa vecina. En la pared divisoria encontró un parapeto hecho a la medida de sus propósitos. Pobre corazón aterido por el gélido soplo de abstracciones teológicas, sus ojos se dilataban espantados cuando ocasionalmente desfilaba ante ellos la procesión báquica del placer desenfrenado. Esta acechanza furtiva terminó por alterar sus nervios. Expiaba su curiosidad con el cilicio de una virtud sombría y clamaba al cielo desesperadamente por aquel despertar repentino y brutal a la conciencia de la carne. En la noche, sentía la vibración de cada uno de los poros de su piel y hubiera deseado entonces que una mano nervuda y cruel la maltratara hasta la muerte.

Una noche, el latigazo emocional fue superior a sus fuerzas. El aire exhalaba un denso olor a vida. Bogando en aquella atmósfera lunar, veteada de misteriosas fragancias, sumido el cuerpo en el dulce sopor que lo invade cuando transita por él un licor de jazmines, era más punzante que nunca la angustia de estar sola...

Abajo, las fauces del pecado se desarticulaban en la mueca del goce exasperado. Un libertino elegante sentaba sobre sus piernas a una de las cortesanas. Con un brazo le rodeaba el talle. Sus dedos crispados alcanzaban la orilla de un seno, que surgía a medias del corpiño como tersa amapola. La mano libre tenía arrestos de pequeña fiera en los flancos del muslo poderoso. Entre el claroscuro de la noche la carne era rosada y mórbida.

La niña Rosario se apretaba convulsa contra el parapeto. Sin saberlo, lastimaba sus senos contra la dura piedra. Cálido rocío perlaba sus mejillas ardientes y entre el agitado vaivén de su pecho sonaba el leve retintín de las medallas, como la voz agonizante de la virtud amenazada. Bajó temblando de su observatorio, como hembra en celo que presiente la cercanía del macho. Intuía, con delicioso horror, que en ese instante estaba a merced del pecado.

La niña Rosario tuvo que guardar cama. El franciscano diagnosticó anemia, pero la paciente sabía que era falta de amor, no el amor desfalleciente de las esposas de Cristo, sino el otro, el que pone rubíes en la sangre y titilar de esmeraldas en el alma. Tendida en el lecho parecía un lirio. Tenía la belleza transparente de esas azucenas que en los altares se arropan en fragancia mortuoria.

—Esta niña necesita tranquilidad, mucha tranquilidad —afirmaba el coronel, que le había tomado tremenda ojeriza a las vecinas de al lado—. La autoridad debe intervenir para acabar con ese escándalo de abajo.

¡Caminos misteriosos de la virtud! La austera niña Concha se negaba a tomar ninguna acción contra las moradoras de la casa contigua. Esa negativa parecía insólita, lo mismo al incorruptible militar que al venerable padre, pero la niña Concha tenía un quemante secreto.

Como aquellas pecadoras eran bonitas, como sus senos tenían un aire altivo y vibrador, como sus piernas parecían las bien torneadas columnas de un templo consagrado a recónditos goces, casi no había en la ciudad galán mozo o amante provecto que no hubiese pagado su tributo a aquellos dos ardientes pedazos de humanidad. Y así, cuando el alcohol o la pasión enturbiaban sus cerebros, y aligeraban sus lenguas, surgía con cínica desnudez la historia drolática de mil y un macho cabríos que en la existencia convencional de la comunidad se escondían tras el antifaz del señor abogado, el señor doctor o el señor general.

—¡Pero tú... tú que le sacas el dinero a ese imbécil del ministro para regalárselo al sinvergüenza de...!

El chasquido de aquellas lenguas luciferinas asperjaba el ambiente de fango ponzoñoso.

La niña Concha estaba horrorizada. El mundo de sus viejos conceptos se derrumbaba entre llamas del infierno. ¡Cuántos nombres conocidos aparecían a sus ojos marcados con el estigma de fuego! ¡Dios mío!, si hasta el adulto coronel salió un día a bailar en aquella zarabanda dionisiaca. Por eso estaba tan interesado en alejar a las "pájaras", como él mismo decía.

Tal vez ignoraba la niña Concha que Dios tienta a los suyos por el flanco del orgullo. Pues de aquella bancarrota general de la templanza, revelada a su conocimiento por modo tan inesperado, dio en sacar el envanecimiento, la satisfacción lunática, la borrachera de su virtud feroz y desalmada. Todos los días echaba la red de su curiosidad insaciable en busca de nuevos pecadores, de más vilezas sexuales. Aquel atisbo morboso se había convertido en la razón de su vida. Su virginidad era fruto descompuesto. Su corazón se cubría de hongos venenosos.

Si las dos mujeres de la casa vecina prosiguieron un día su inacabable migración, no fue porque la niña Concha se interesase en ello. Desaparecieron porque peregrinar es el destino de estas mariposas cuyas alas coloridas

35

agitan hoy el aire en un chispeante remolino de pólenes brillantes, para aletear mañana, con fatiga incurable, entre la sombra moribunda.

Desde que se marcharon, la casa vecina parece la misma en su exterior sólido y tranquilo. Pero en su interior deambulan con paso sigiloso los fantasmas de la duda y el pecado...

Alejandro Castro h. (1914-1995). Narrador y periodista. Fue director del diario *El Cronista* y de la revista *Tegucigalpa*. En 1995, se le concedió el Premio Nacional de Literatura Ramón Rosa.

OBRA. **Cuento:** *El ángel de la balanza* (1956); *Cuentos completos* (1995).

EL VENGADOR

OSCAR ACOSTA

El cacique Huantepeque asesinó a su hermano en la selva, lo quemó y guardó sus cenizas calientes en una vasija. Los dioses mayas le presagiaron que su hermano saldría de la tumba a vengarse, y el fratricida, temeroso, abrió dos años después el recipiente para asegurarse que los restos estaban allí. Un fuerte viento levantó las cenizas, cegándolo para siempre.

Oscar Acosta (1933). Poeta, narrador, periodista, editor y diplomático. Fundó, en Tegucigalpa, la Editorial Nuevo Continente, la Editorial Iberoamericana (que dirige en la actualidad) y las revistas *Extra* y *Presente*. En 1960 obtuvo el Premio de Poesía Rubén Darío, en Nicaragua, y el Premio de Ensayo Rafael Heliodoro Valle, patrocinado por la Universidad Nacional Autónoma de Honduras. En 1979 se le concedió el Premio Nacional de Literatura Ramón Rosa. Como diplomático ha representado a Honduras en Perú, España, Roma y El Vaticano. En 2004 recibió la medalla Centenario de Pablo Neruda, distinción que el gobierno chileno otorgó a más de 65 intelectuales de diferentes países en ocasión de conmemorarse el primer centenario de la muerte del gran bardo chileno.

OBRA. **Poesía:** *Poesía menor* (1957, 1994); *Poesía* (antología personal, 1965); *Escrito en piedra* (2002). **Cuento:** *El arca* (1956). **Antologías:** *Los premios* (1975); *Alabanza de Honduras* (1975); *Elogio de Tegucigalpa* (1978, 2003).

DIEZ AÑOS DE ESPERA

LETICIA DE OYUELA

Parada en la popa de la pequeña goleta «Camille», Angela Ardón miraba la espuma blanca de la quilla que partía el agua en dos, como haciendo un surco profundo. Sentía que su corazón también estaba partido por el surco de la desesperanza y, sobre todo, por lo que ella creía que era el desamor. Era el tercer día de viaje desde el puerto de San José de Guatemala y, prácticamente, no habían visto tierra hasta esa mañana en que el Golfo abrió sus puertas, mostrando aquel esplendor de islas pequeñas cubiertas por una vegetación abundante, que daban la impresión de no ser habitadas más que por bandadas de pájaros que trinaban y piaban alternativamente, desmemoriados, asustados por el cruce de la goleta.

El piloto dejó escapar el vapor y el vigía gritó: «tierra a la vista». El elegante gringo, comandante de la nave, dijo por el altavoz en inglés y en español: «señores, bienvenidos al Puerto de Amapala». Angela vio con deleite la pequeña población, limpia como una taza de plata en medio de una eclosión de palmeras, cuyos penachos danzaban al ritmo de un acompasado vientecillo que, como un gran abanico, trasladaba la brisa marina hasta el cálido interior de las casas.

Desembarcaron —ella y sus dos tías— y al momento estaban en la guardatura marítima, un edificio con evocación del neoclásico. Ostentaba, orgulloso, en su frontispicio triangular, el escudo de armas de Honduras realizado primorosamente en yesería. Le sorprendió la cantidad de europeos, en su mayoría residentes en la isla, más otra cantidad que desembarcaban en ella como destino final. Ellas pernoctarían en la casa de una antigua amiga, doña Rosa de Abadie. Estaban un poco desconcertadas, cuando un joven de unos treinta y cinco años, enfundado en una pulcra camisa blanca y con ligueros en los brazos, visera verde y un lápiz detrás de la oreja (el aspecto típico del oficinista), las saludó presentándose como el contador vista de la aduana. Les explicó que ya había desembarcado su equipaje y que aprovecharan la carreta que las conduciría a la casa de doña Rosa, que estaba bastante lejos de la guardatura.

Así fue como conoció a Matías López. Era pre-
maturamente viudo, oriundo de Choluteca y daba el
aspecto de ser persona seria y sumamente razonable,
simpático y respetuoso. En los tres días transcurridos en
la isla, le hizo a Angela la corte con total claridad y
decoro. El fin de semana fueron al baile, que ofrecía el
capitán de la «Camille», donde disfrutó con extrañeza el
volver a vivir un cortejo amoroso, después de los cinco
años vividos en Guatemala, en el recuerdo perpetuo de
aquel gran amor. Ella lo consideraba ingrato, por el des-
memoriado aquél que, después de los conflictos habidos
con su familia, parecía no haber tenido interés en comu-
nicarse con ella. Ni una carta, ni una letra, ni un mensaje.

Mientras danzaba en los brazos del joven Matías,
ella se entregaba a sus recuerdos y a la nostalgia aroma-
da de aquello que pudo ser y nunca fue. Recordaba con
un dolor interno la rebelión que le provocaron tantos
problemas con sus tías, cuando las desafió, negándose a
realizar la boda que ellas le habían negociado con aquel
rico olanchano. En su alma, aún quedaba la herida del
desprecio y la prepotencia de la familia cuando, sin pen-
sarlo, la obligaron a llegar hasta el altar con aquel doctor
olanchano, que la obligó al pie del altar y delante de lo

mejor de la sociedad tegucigalpense, a decir en voz alta y clara: «no acepto», ante el requerimiento del sacerdote que le pedía la aceptación matrimonial.

El escándalo subsiguiente que destruyó la ceremonia —tan perfectamente planificada por las tías—, el susto del sacrilegio cometido con esa negativa directa, pero ya anunciada, dejaron en su alma aquel recuerdo confuso en el que meditó durante años. Creía haber visto rotos los floreros de cristal y las flores desparramadas mezcladas con el agua ya siendo marchitas, en el suelo. Ese vago recuerdo había dejado en ella y, sobre todo, en su espíritu, una sensación destructiva en la que pervivía el atropellamiento y la confusión de los invitados, que salían de una boda que no se había realizado.

Un fuerte escalofrío le recorría la espalda con ese recuerdo terrible: la rabia y la indignación del potentado olanchano, que acusaba en voz alta a las tías de no sé cuántas cosas. El desmayo de Mamachús (así llamaba ella a la tía mayor), la cantidad de damas y damiselas que se agruparon en torno a ella ofreciéndole las sales para revivirla. Vagamente, recordó en ese momento que la mejor forma de revivir a Mamachús era aflojándole el corsé, pero ella estaba petrificada, asombrada de su pro-

41

pia acción y, aunque hubiera querido, no habría podido articular palabra alguna.

Su amor por Rafael había nacido con ímpetu en su corazón virgen, desde el día que lo conoció, cuando llegó como maestro suplente de Matemática al colegio de las tías donde ella, además de ser alumna, pagaba su beca como maestra de kínder. Fue lo que la gente llama «amor a primera vista». Por razón de sus obligaciones, generalmente ella llegaba tarde a clases y se sentaba al final del salón. Ese día Rafael estaba al lado del pizarrón y posiblemente ya se había presentado, pero se calló cuando ella entró. Estaba acostumbrada a que siempre le llamaran la atención por ser la última en entrar; se hizo un minuto de silencio, en el que él la quedó viendo con aquellos grandes ojos, apasionados, fogosos, que relumbraban como estrellas fijas. Ella sintió esa mirada envolvente y empezó a notar que la conducta de ambos no era normal; que a partir de los cruces de miradas, había surgido una especie de complicidad, por algo que estaba pasando y aún no estaba dicho.

Para colmo de males, Rafael empezó a hacer cierto alarde del privilegio que le tenía. La llamaba más veces al pizarrón a desarrollar teoremas que le causaban problemas, lo que la obligaba a estudiar más. Ello significaba dormir menos, porque su jornada en el colegio era polivalente. Además de dar clases a los párvulos, tocar el piano, cantar con ellos y entretenerlos, por las noches hacía la inspección en el internado. Lo hacía con gusto, porque su presencia rompía la terrible austeridad impuesta por las tías. Ella, por su edad, conversaba con las chicas e, inclusive, les recomendaba uno que otro libro. Ellas a su vez, le contaban lo que habían hecho los fines de semana con sus padres, le daban las crónicas de los paseos, descargaban sus ilusiones informando, además, de lo que transcurría en los bandos políticos. Recibía de ellas las noticias de los jóvenes de buenas familias que regresaban de Europa o de los Estados Unidos y que eran los buenos partidos que se ofertaban para los círculos en que ellas se movían. Recordaba con ternura a todas aquellas niñas adolescentes, hijas de los poderosos o ricos de la época, a quienes consoló y a quienes escuchó sus cuitas de amor, las frustraciones continuadas por amores fallidos, los pétreos tabúes que la sociedad había elaborado como autodefensa.

Su amor por Rafael se convirtió en un amor epistolar. Ella colocaba bajo la mesa de la cátedra todos los días una carta de amor y él le dejaba una bajo el secante de su pupitre. Era toda una ceremonia de complicidad

43

mutua, que llegaba al borde de lo cultual. Ella ocultaba la carta de amor en el pecho, donde dormía algunas horas, palpitante, quemante, calorizadora, hasta encontrar el momento perfecto de soledad para leerla con avidez, con deleite. Aquellas palabras de amor se fueron convirtiendo en el punto central de su vida, en algo propio, en lo exclusivo, en lo no compartido, en lo que es sólo un secreto de dos.

Hasta que llegó el día de la definición, cuando sus tías la llamaron al salón para presentarle al doctor Díaz, como el pretendiente escogido y seleccionado para ella. El sermón de Mamachús que la china y la rechina, que recuerde que ella es una «protegida», huérfana sin fortuna. Le explicaron que el Dr. Díaz es un hombre de inmensa fortuna, que desgraciadamente se tendría que ir a vivir a Juticalpa, pero que si ella quería podrían abrir una casa en Tegucigalpa para pasar temporadas, a fin de que pudiera continuar su vida social. En aquel discurso contradictorio, Mamachús se dirigió al Dr. Díaz y le explicó: «la niña ha sido formada por esta casa, casa ejemplar, como usted ya sabe; además de graduarse el próximo año como maestra auxiliar, sabe perfectamente manejar un hogar». Y después enfatizó: «ahora bien, ella no es cocinera, pero sabe mandar a una cocinera y preparar un menú a la altura de las circunstancias».

Allí fue donde Angela destapó su amor por Rafael; entre llanto e hipos, contó el año y medio transcurrido en la esperanza de concretar ese amor y, naturalmente, Mamachús se desmayó. Después se enteró de que Rafael había sido despedido del colegio y no lo vio más. Gracias a un amigo supo de él; recibió una carta que, desgraciadamente, fue interceptada por Mamachús, quien la obligó a aguantar un «consejo de familia», donde estuvieron los viejos tíos don Salustio y don Ponciano y su hermano mayor, Chico María (a quien escuchó con sorna su posición moralista porque nadie, mejor que ella, sabía de la «queridita» que tenía en el barrio La Fuente, de cuya casa salía directamente en la mañana para ir a la primera misa).

La decisión de la familia fue inapelable. Todos decretaron que habría boda. El tiempo que transcurrió para la fecha fijada la pasó encerrada en su habitación, mientras recibía las visitas de la modista que preparó el ajuar, el vestido de novia, los vestidos de las damas de honor que las tías eligieron, y toda esa visión ritual de una boda digna de una hija de familia. Nadie escuchó ni quiso escuchar la promesa interna que se había hecho:

que en el altar, frente al cura, diría que no aceptaba como esposo al Dr. Díaz.

Un día antes de la boda, llevaron a monseñor Vigil para que la confesara y a quien no le confesó nada, pero le advirtió que iba a decir «no» en la iglesia. Escuchó en el pasillo cuando Monseñor explicó a las tías: «la niña está en plena etapa de rebeldía... pero como es inteligente, se plegará a las circunstancias».

Después del escándalo de la boda fracasada por su negativa, caminó y descaminó la calle de la amargura. Tres meses de absoluto encierro e incomunicación, en medio de una fuerte crisis política que trajo consigo el cierre del colegio. Por esa razón le ordenaron que acompañara a Mamachús, que se iba a vivir a Guatemala. Era la forma en que la familia, «generosamente», le ofrendaba su perdón, a cambio de que cuidara a la pobre vieja, tan enferma y disminuida a raíz del escándalo que ella había protagonizado. Había puesto en evidencia a toda la familia y, sobre todo, en la mira de la venganza del Dr. Díaz, que si bien es cierto nunca se dio, reposaba como una amenaza, como una espada de Damocles en la conciencia de las tías, líderes de la familia.

Guatemala se apoderó de ella. Fueron cinco años en los que vio otro aspecto de la vida, centrada en la realización profesional. Gracias a un sistema social más ideologizado, Guatemala era más proclive a una convivencia verdaderamente liberal, buscando un clima de orden y progreso, ya que aún resonaba la herencia de los reformadores. Ayudaba a la tía con un pequeño colegio de señoritas, muy exclusivo. Ella ya estaba vieja y la sociedad que fundaron incluía una maestra francesa, madame Claire Leroux, que instruía en cursos de refinamiento. Es decir, maneras, protocolos y trato social. Era interesante ver cómo las mujeres guatemaltecas eran más evolucionadas que las hondureñas, pero al mismo tiempo, más frívolas en ver el mundo. Eran muy superficiales y muy pagadas de su clase y, sobre todo, muy apegadas al poder.

A pesar de su circulación social y su éxito, en el que no le faltaron pretendientes, seguía pensando en Rafael, hasta que su recuerdo se convirtió en una cicatriz, de vez en cuando dolorosa, porque la hizo pensar y repensar en las virtudes del desengaño. Porque el desengaño como el dolor, es una escuela capaz de enseñar cómo se debe vivir y cómo se marcan los caminos para aprender a vivir. Aunque nunca lamentó haberle dicho «no» al Dr. Díaz, ahora lo consideraba como una rebelión solitaria e

47

inútil porque, en el trasfondo de esto, estaba el desapego y olvido en el que Rafael la había dejado.

Y luego adquirió el vicio de caminar a pie, solitaria, por la Avenida Reforma. Disfrutaba de su soledad porque había descubierto que ésta es una gran compañera, que hay momentos en la vida que es mejor cultivar la soledad y no tenerla como enemiga, porque como enemiga es mala consejera. Cuidada con ternura es cariñosa, generosa y maestra que enseña lo importante que es hablar con uno mismo.

Ahora se veía bailando como si nada con este hombre, bastante maduro, muy solitario en la ingrimitud de su temprana viudez, ofreciéndole ese cariño suave, lleno de ternura, sin estridencias ni complicaciones. Lo miraba con ojo crítico cuando él, entusiasmado, hablaba de sus proyectos futuros, que incluían dejar la aduana de Amapala para dedicarse al comercio, como administrador de la Casa Siercke y de trabajar una hacienda que había heredado de su madre en Choluteca. Le brillaban los ojos y ese brillo se extendía hacia una que otra hebra plateada que le daba interesantes tonos a su cabello, rigurosamente cortado a la manera alemana. Siempre pulcro, su presencia era un desafío al calor del ambiente. Sintió que le gustaba ese aroma que exhalaba, mezcla de lavanda y tabaco, aquella serena tranquilidad en el habla y, sobre todo, la sensación protectora que le brindaba en el momento del acercamiento.

Las tías y sus amigas, las Abadie, se emocionaron cuando se enteraron de que ella le había dado a Matías un apresurado sí y soltaron la veta casamentera que, para ellas, era una excitante visión de la vida. Entonces se dedicaron a preparar la boda. Nunca pensaron en la existencia de la vieja cicatriz y contaron a Matías todo el embrollo. Entre todas decidieron que no se casaría en Tegucigalpa para no recordarle al público la vieja afrenta social. Ellas aducían que toda la ciudad recordaba el escándalo de la boda fallida, razón por la cual decidieron realizarla en Pespire, en casa de la familia Molina, y en una pequeña iglesia que acababan de remozar, con cúpula herreriana. Era una época en la que todo pueblo que se respetara, debía tener una iglesia con cúpula, que era un indicativo de categoría social. Así fue cómo, el 12 de mayo de 1905, Angela estuvo nuevamente frente al altar en circunstancias diferentes.

Sintió en la iglesia un cariño que se reflejaba en los detalles; las rosas blancas que la adornaban, proclamaban en su aroma una especie de devota tranquilidad. Sentía que todo era como el espíritu de Matías, que se derramaba allí con su sereno afecto y su tranquilidad. El séquito incluía a algunos de los alemanes y de los amigos residentes en Amapala. La pequeña ciudad era limpia y organizada. Las tías, exultantes, le pidieron, no sin demostrar cierto temor, que esta vez hiciera una confesión verdadera y que, sobre todo, le explicara a su novio todo su pasado, jurándole, además, amor «para que no hubiera una nube en la futura relación». Dentro de ella pensaba qué más podía contarle a Matías de lo que ellas ya le habían contado previamente.

Llegó por fin el día de la boda. Por la mañana, las tías le entregaron un paquete en un sobre cerrado. Al palparlo sintió que eran papeles y, en el fondo, pensó que podía ser el famoso testamento perdido de su padre, razón por la cual no lo abrió. Pensó entregárselo a Matías, en la idea de que, desde entonces, él fuera su administrador y albacea.

Ese día, la pequeña población amaneció como lavada por la lluvia de la noche anterior; parecía que la lluvia había sido benefactora, rompiendo con su frescor el temperamento histérico del verano. Pensó, agradecida con la vida, que es posible que el sermón de la montaña haya sido pronunciado después de una lluvia, como ejemplo paradigmático de cómo la calma retorna después de la tempestad. En su caso, la tempestad era la de su alma que, por fin, encontraría en Matías, su esposo, la ambición de toda mujer: tener el derecho a ser ella misma, a tener una familia y un hogar en el espacio del respeto mutuo.

Sintiéndose bella como nunca y ligera de espíritu, escuchó con mucha atención la ceremonia religiosa. Todo le pareció grato y emocionante; una gran ternura la embargaba de sólo pensar que ella iba derecho a ese oasis de paz, que ya nunca su alma se turbaría. Los azahares puestos en su cabello, por las amigas de la maestra Soledad, derramaban sobre su rostro cierta ternura nostálgica.

Salió de la iglesia como nimbada del brazo de Matías y el órgano, con sus notas, parecía acompañar dulcemente esa emoción. Al pisar el empedrado de la calle y sentir a todas las jóvenes que lanzaban pétalos de rosa sobre ambos, escuchó el ruido de un cohete lanzado al aire y el apresurado trote de un caballo sobre el pavimento. Alzó la vista y vio frente a ella un jinete, cuyo caballo se detuvo en seco alzando las patas delanteras. Sintió que un rayo había caído a sus pies al reconocer que el jinete era Rafael, el mismo Rafael, cuyo rostro tenía impreso en el fragmento de su memoria indeleble y aún vivo.

51

Hizo pucheros, sintió una extraña vibración en su rostro y se puso a llorar. Mientras tanto, el jinete dio vuelta en redondo y volvió a tomar el camino a galope abierto hacia la calle que conduce al mar. Todo mundo la abrazó en silencio y la maestra Sole se acercó al oído y musitó: «calla, calla, no seas novia llorona, que eso trae mala suerte».

Después de la boda, al día siguiente y cumplidas las velaciones mandadas por la Santa Madre Iglesia, Angela cabalgó al lado de su marido por la vía que conduce hacia Choluteca. Embargada en la profundidad de tratar de descifrar cuáles eran los signos que marcaban su destino, recordó una frase de un sereno que abría la puerta de su casa en Guatemala y que decía: «no llores por aquello que no tiene remedio».

Tres días más tarde abrió el sobre que le habían entregado las tías y descubrió, amarradas, con una cinta azul, las ochenta cartas de amor que Rafael le había escrito en todo el tiempo que ella permaneció en Guatemala y que, en su contexto, eran la prueba permanente de su amor y de su fidelidad. Las leyó y las releyó en la primera semana de su luna de miel, ya dedicada, con voluntad férrea, a tener un hogar. Ese día las introdujo en el fuego, inmóvil sin moverse, hasta que se convirtieron en cenizas blanquecinas. Suspirando, secó sus lágrimas y exclamó: «Nunca me moriré de amor».

Leticia de Oyuela (1935). Historiadora, ensayista y narradora. En sus obras mezcla acertadamente la historia con la narrativa. Es asidua promotora de diferentes actividades artísticas y culturales en Tegucigalpa. En 2002 recibió el Premio Nacional de Literatura Ramón Rosa y el Premio de Estudios Históricos Rey Juan Carlos I.

OBRA. **Cuento:** *Dos siglos de amor* (1997); *De santos y pecadores. Un aporte para la historia de las mentalidades, 1546-1910* (1999); *Las sin remedio. Mujeres del siglo XX* (2001); *Angeles rebeldes y otras historias de ángeles* (2005). **Ensayo**: *Historia mínima de Tegucigalpa* (1989); *Mujer, familia y sociedad* (1993); *Esplendor y miseria de la minería en Honduras* (2003), entre otras.

NIDIA AL ATARDECER

JULIO ESCOTO

*Una tirada de dados
jamás abolirá el azar.*
Mallarmé

*Oh! Lord! Wouldn't you
give me a Mercedes Benz?*
Janis Joplin

Nidia estaba tantaleando[1] la acera, dando golpes con el palo de la escoba para espantar los escorpiones que anidaban enfrente de la barbería y que apenas podía entrever tras la resolana marchita del atardecer que entintaba de sangre las paredes y sembraba de girasoles imaginarios la calle empedrada. Bajo los capiteles de la avenida ardía inflamado el fuego de los flamboyanes y abril agonizaba ahogado entre las telarañas de un viento salobre y ralo venido del mar. Un sofoco de palpitaciones entrecortadas le apuñaba el corazón, como un corsé de calcio y en el entretejido de las venas, apenas aplumadas en el vértigo de las articulaciones, le corría una inmensa marisma de paciencia y desconsolación que

---

[1] *Tantaleando:* Observando.

le apagaba las pestañas y le regurgitaba la marea de los últimos tendones, alongados y cautos.

No vio, por tanto, entre la neblina aovada del sol depositada a plomo sobre el peso vertical de las paredes pintarrajeadas de graffitis eróticos, las techumbres de ala baja y cantos tejados, los muros circulares que entornaban voluptuosamente la cintura de las mansiones, los bohíos y los malecones olorosos a desecho de cal, aquella presencia, la otra, que plantaba una mansedumbre de sombra en la gran cataplasma de luz que invadía los muros de ladrillo rojo, y continuó aporreando las hendiduras plomizas y las bocas alambradas de las alcantarillas donde afilaban sus garfios magros de hoz los pozos ensalivados de los escorpiones y donde cargaban sus despensas de fuego los manojos de luciérnagas y las hembras de los cocuyos. Atrás suyo, enfundado en el sobrepelliz de lino que le cubría los hombros y embozado bajo el gorro de crochet de la penúltima navidad, cruzaba las armas de las tijeras Luis, separando pelos y remolando melenas dentro de la barbería, afinando en la faja de asentar las pulidas navajas de barba, empantanando en la espuma de jabón las brochas olorosas al regaliz de los morteros bocones de botica, sobrevivientes de una perdida generación de su cercano pasado de negociante en alcanfores, guayacalinas y jarabes de Tolú. El tilís de las tijeras maestras remedaba con sus ojos pardos una inquieta sinfonía de trabajo y resignación, perdida ya en el inmisericorde trajinar de un día sin emoción y sin gloria.

Nidia sintió en algún momento la cercanía del espanto del pasado, porque vuelta hacia la escalera de abeto que inauguraba la entrada del establecimiento, bajo el péndulo horizontal del cartelón de aviso de la barbería, al sacudir las pelambres de las telarañas que envolvían en una red de agujeros la deforme angulosidad de los peldaños, la asaltó súbitamente el despegue agitado de una mancha de mariposas negras que le cruzaron la cara y le espolvorearon sobre los ojos una arena de residuos de noche hechos para el mal, esparcidos para los hilos del presentimiento. Alzó en alto la cabellera de la escoba y sacudió en espirales las últimas agonías del atardecer en el mismo momento en que recordó, con una nitidez que deslumbraba los resquicios de la memoria ingobernada, las pesadillas de una siesta bochornosa y olvidada: había visto en sueños la presencia de un hombre con paraguas, arrodillado bajo la comba de un almendro de alas anchas de oro y desplayadas hojas de coral, cantando bajo la solidez de la luna de abril una canción del más ardiente amor solitario y avergonzado. En el interior marchito del círculo del deseo que inauguraba aquella voz, no pudo percibir el doblez del signo de las palabras, pero cada queja exhalada del canto, cada recriminación de la añoranza que lo ahogaba y enmortecía, iban a clavársele en el rebote de las oquedades del vientre y los silencios del corazón, haciéndole estallar en un sollozo necesitado que sólo podían conjugar la posesión avariciosa del hombre y sus aceptados desmanes de invasión.

Nidia cerró los ojos ante el espejo de su propio desconcierto, herrumbrado de soledad: ¿"Aquello" a su edad? ¿Tan desgraciado sino le emputecía la carne, que no se le apagaba? Vio a Luis tras el empapelado metálico de los mosquiteros de la puerta y recordó una noche de amor sobre el entarimado de los galpones de los concejales en las plantaciones de azafrán, muchos años después del primer asomo de la conciencia de la virginidad, y sonrió maravillada de las recurrencias del tiempo. Sobre su cabeza anidó un enjambre circular de interrogaciones concentradas, más allá de las esperanzas de la resolución y el arrepentimiento. Buscó a los alacranes y los azotó con una rabia inaudita que no podían complacer las resistencias de la vejez ni las debilidades del amor.

Fue entonces cuando oyó a sus espaldas la voz, aquella voz venida de la distancia del eco de las cosas acabadas, de lo innombrable en el claustro de los silencios familiares, aquel avejentado acento capaz de despertar lo imaginario y dar título a las cosas del mundo virgen de las adolescentes púberes incandescidas por una pasión sin objeto y sin remedio en el acuoso navegar de sus ansiedades discretas.

—Nidia —llamó él, envuelto en la luminiscencia del atardecer. No hubo más.

Nidia experimentó instantáneamente el doblez del orbe en sus manos. ¿Qué tenían esas alimañas que las hería y las azotaba, las doblegaba y reducía a huellas de la calzada, que no morían y sobrevivían al odio y el espanto, que no desaparecían de la faz del recuerdo y la memoria y volvían, treinta y ocho años después, a asaltarla y atacarla, amedrentarle la paz, alzarle los velos de la inconsciencia y el olvido? Las crucificaba en el altar de piedra, las desmembraba inexpugnablemente, hacía su expolio animal, repartía sus miembros en la calle, dividía sus cartílagos y osamentas, fragmentaba sus articulaciones, asediaba sus restos y excrecencias, restregaba sus humores y ligosidades viscosas, barajaba sus babas, trozaba sus tenazas y aguijones, despeluzaba sus cilios pelambrosos, ensartaba ojillos y enhebraba antenas pisciformes, apisonaba, sacudía, apartaba, reunía en montones amorfos, en bultos polvosos, una accidentada geografía de detritus expurgados, ¿qué voz insomne los convocaba y revivía en cada noche de treinta y ocho años de angustia y retorno, de sofocos censurados y tranquilidades momentáneas, sueños de ajena posesión, inacabada espera? ¡Oh, Dios!, pensó, ¿es que la memoria era el alma que no muere?

Nidia —repitió él— soy Luis Armando, que he regresado —explicó.

Nidia no necesitaba recordar el nombre, el enjambre de abejas que le oscurecía la vista y le aguijoneaba la conciencia sólo podía provenir de aquella voz surgida del trasfondo del tiempo, que retornaba cuando los fuegos de la espera se habían marchitado y cuando el rescoldo de la pasión, encendida treinta y ocho años antes, había dispersado sus cenizas en un voluminoso viento de ansiedades acabadas y complacencias solitarias hechas sólo para aumentar la insatisfacción y el deseo. Estremecida por el cataclismo visceral del reencuentro, vio a abril disolverse en un espejismo de luz sobre los techados de paja de los barrios de los pescadores, pero no tuvo valor para volverse y enfrentar su propio pasado. Adentro, Luis encendía en ese momento la marmita de gas donde hervirían los instrumentos y las toallas de barbería. Sobre el espacio anaranjado del atardecer sobrenadó un filoso graznido de gaviotas.

—¿Qué quieres? —preguntó sin dejar de barrer la calzada, aferrados tercamente los puños en el mango de madera.

—Compartir tu vejez —respondió él. Nidia deglutió un bocado de saliva enharinado de odio.

—Ya es muy tarde —contestó.

—Aún no oscurece —explicó él, viendo caer sobre el borde del malecón una ráfaga de sombra acidada por los ramalazos de los limonarios. Con un movimiento lento extrajo el pañuelo y cubriéndose los labios se acomodó discretamente la disfunción de los colmillos postizos; detuvo el sudor que le transpiraba la frente bajo el sofoco del verano y el asedio del último lamparazo de las cinco de la tarde. De alguna forma inconcebida Nidia lo vio, o lo sospechó, pero no dijo nada. A pesar del incontrolable mareo de curiosidad que le esponjaba los poros, en contra de aquella urticaria maligna que la empujaba y le carcomía los deseos de volverlo a ver, siguió limpiando impertérrita el cauce de la calle como si lo adecentara para las celebraciones de la eternidad.

—Has de estar muerto —dijo ella, negándose a aceptar que los escorpiones hubieran desaparecido de las oquedades olorosas a pasto de musgo y espuma del alcanfor—. Nadie puede sobrevivir tantos años en silencio.

Luis Armando dio un respingo de insatisfacción.

¿Era así como se acababan los exilios?, se preguntó a sí misma, ¿era este reconocer un extraño, presentársele un hombre de quien ni recordaba las malicias del rostro más allá de los desórdenes de la imaginación, lo que hacían los pantanos de la distancia y el abandono? En tanto espacio, ¿quién podría conjugar la diferencia? ¿Quién juntar lo apartado por el tiempo y el odio? En la boca se le encontraron a la vez los sabores del rencor y la ternura, y escupió confundida sobre el adoquinado de piedra. Un automóvil ocupado por soldados cruzó lentamente sobre la bocacalle del malecón, al fondo de la pequeña laguna; Nidia se concentró instantáneamente en el manipuleo de su trajinar oficioso contra las alcantarillas.

¿Era éste el mismo hombre de quien no había sabido en realidad cómo se llamaba durante los siete días de la revolución?, ¿de aquél que era lo que era, esto era lo que quedaba, casi un anciano que no ocultaba la dificultad con que se le enconchababan los fuelles del corazón, en su respirar cansado y mustio, y que entornaba la vista perseguida a cada graznido del mar, a cada baquetazo de las olas? Los fantasmas del exilio, ¿acobardaban o fortalecían?

—No digas tu nombre —le había advertido al entrar aquella mañana en la sacristía donde había de presentarla ante la célula del puerto—, ponte otro — ordenó.

Ella había barajado todos los seudónimos posibles, mientras cruzaba el portón de madera, antes de encontrar uno que no le pareciera azucarado con una cursilería novelesca o por una afectación inverosímil.

—Soy Dinia —dijo avergonzada, invirtiendo su nombre y estrechando las manos huesudas y callosas de los tres hombres asentados sobre los taburetes de mezcal y las poltronas negras olorosas a bellotas de pino y repellos de barniz de carpintería. Tras los altos vitrales llovía una agua pastosa y caliente que chorreaba las barbas de los apóstoles y abrillantaba los corpiños de las vestales.

—Éste es Isaac, éste David, éste Juan y yo soy Pedro —explicó señalando a cada uno. Nidia no entendió de momento si estaba allí para revivir las Sagradas Escrituras o para comenzar la revolución.

Pero lo que había que hacer, continuaba él, era dar un golpe maestro que los pusiera ante los ojos del pueblo y sentara a temblar al Hombre y sus esbirros, proclamó, una acción súbita y certera que los hiciera encabezar el movimiento nacional en una semana, alzar la tropa, conducir un frente de masas y darle volantín al Hombre, jodido, escupió, eso era imperativo desde el cuartelazo que lo había elevado al poder, ya de General se estaba harto, ¿no era así, es que no era así? Los tres hombres asintieron en silencio, moviendo sus rasgos mestizos sin volverse a ver.

Escuchándolo absorta, Nidia descubrió intempestivamente cuál era la última razón de la vida y se estremeció con una angustiosa sensación de premura en que la desazón de sus iniciales titubeos desaparecía disuelta bajo una arrolladora emoción de inspiración y fe. Era hasta ahora que palpaba la escabrosa dimensión de su cobardía, y estaba dispuesta a repararlo. Esto era como una transfiguración, como de pronto encontrarle la utilidad a ser mujer y poder repartirse, prodigarse, hacerse de todos por partes en el objeto de una iluminada y desconocida comunión del mundo. Había que movilizarse, entrar a los gremios, penetrar, penetrar los sindicatos de estibadores, juntar los oficios, despertar los artesanos, sembrar esta nueva semilla que ya le florecía en el vientre y en el calor del corazón, exclamó exaltada cuando Luis Armando le entregó la voluntad de la palabra. Los tres hombres mestizos aplaudieron, al principio tímidamente, después con una efusividad ingobernable que les transparentaba el papel delgado de piel que les sombreaba las angulaturas del rostro.

—No hay tiempo, no tenemos tiempo —cortó él repentinamente en el eco húmedo de la habitación— no podemos esperar la siembra del conocimiento —dijo— hay que actuar, hay que actuar ya —y subrayó los límites del adverbio con un doble palmazo sobre el viejo misal de letras miniadas que ocupaba el atril de los devocionarios.

Eso fue el primer día. La noche siguiente había nueve hombres y dos mujeres.

—Los hombres de color somos malos guerrilleros —explicó uno de ellos— porque le tenemos pavor al resplandor de las armas blancas, pero ahora vamos a superar eso, compañeros —prometió cuando descendió sobre él el momento de votar por la forma en que comenzarían la revolución.

Uno tras otro se sumaron al acto rápido, decisivo, sin más espera que la de sus propios calendarios. Sólo las mujeres concebían la revolución como se piensa un hijo.

—¿Qué fue de nuestro hijo? —preguntó él deteniendo la escoba con que Nidia desgarraba las telarañas amarilladas de luz que moteaban las paredes y el cabestro del entretecho— ¿es él? —interrogó señalando a Luis en el interior de la barbería.

—Murió —mintió Nidia, volviendo a verlo por primera vez. No le tembló la palabra cuando se encontró de frente con aquellos ojos oscuros y profundos, sombreados por dos arcos ciliares profusos y desordenados, en que brillaba aún el fuego de una pasada rebeldía no satisfecha. Observó ligeramente los lamparones gastados, a la altura de los hombros, de la chaqueta traslapada[2], y no pudo detener un asomo malicioso cuando contempló el pañuelo bordado, hecho con un damasquillo de lunares dorados, que sobresalía en tres puntos meticulosamente dibujados del bolsillo superior. Pero esa calvicie pronunciada, ¿era así, la habían provocado los vendavales del tiempo?

[2] *Chaqueta traslapada:* Chaqueta cruzada.

—Murió de falta de padre —explicó— que es la peste que asola este país... No es cierto —rectificó inmediatamente— lo ahogué en un pozo artesiano a los tres días de nacido.

Él endureció la mirada y apretó los puños, pero no dijo nada, inconstante en el balance de la verdad y la mentira. Tres silencios después apenas pudo masticar unas palabras.

—Lo quería... —susurró con la voz apagada.

—El riego del varón no es suficiente —protestó ella, sorprendida por su propia habilidad para amonedar en pocas palabras[3] un monólogo sordo de treinta y ocho años— las cosas se crean, pero también hay que criarlas, hay que formarlas y darles vida, irlas amoldando hasta que tengan fruto —expresó ya incontenida— hay que entrar en ellas con un amor de largo plazo, no sólo creerlas que son posibles. El semen del varón jamás abolirá la necesidad del cuido —dijo.

Él se quedó estupefacto, detenido tras una muralla de reprobación que nunca, ahora se daba cuenta, alcanzaría a penetrar.

—Siempre manejaste un lenguaje con olor a sexualidad —fue todo lo que se atrevió a decir.

[3] *Amonedar en pocas palabras:* Resumir con eficiencia.

—Es lo único que oían tus oídos —sentenció ella.

Entonces él comprendió definitivamente que estaba tan solo como en el principio de la creación.

—Oigan... escuchen... —advirtió alarmada la tercera mujer incorporada a la cuarta noche de la revolución. Los doce varones quedaron en suspenso, detenido en el aire el lápiz con que anotaban el nombre de los partidarios del alzamiento. Afuera un auto pasó raspando despaciosamente la gravilla de la calle que daba a la sacristía; visto tras los cortinajes de los ventanales y bajo la luz del farol amarillo y oscilante del callejón, su presencia recordó brutalmente los límites del juego entre la inocencia y la complicidad.

—No hay peligro —tranquilizó él sin poder evitar que se le enronqueciera la voz y lo vieran inquietarse con una involuntaria tos nerviosa—. Mañana traeremos barajas, o dameros, para hacer parecer nuestras reuniones una diversión sin consecuencias —propuso. Los otros bromearon sobre lo de las consecuencias y encendieron como sin quererlo nuevos y manoseados cigarrillos de ecuanimidad. Luego continuaron esbozando en grandes hojas de contabilidad el tramado rocoso del puerto, delimitando los vericuetos de la comisaría,

67

inventariando el esqueleto de sus atalayas, torreones, troneras y bartolinas; fijando con cruces rojas los sitios de resguardo y recogimiento si se hacía imprescindible huir —no ocurrirá, no ocurrirá, pero debemos prever—, dibujando los posibles buzones de agua y comida, radiografiando los hechos futuros, adelantándose al gesto del tiempo y los amagos de la sorpresa.

El recuento de armas probó resistirse a las abundantes cosechas de la imaginación: dos revólveres, un rifle de caza y un máuser gris podrían muy poco contra las huestes del Hombre, pero con ellas se conquistaría el arsenal de la guardia de la capitanía de puerto, como primer paso de una rebelión que incendiaría la esperanza nacional, clamó él, y los varones aplaudieron, las mujeres se persignaron. Dentro de la sacristía creció el sofoco del verano y una alucinante red de mosquitos vino a instalarse entre capelos, estolas y bonetes huyendo de las brisas violentas de las bascas del mar.

—Todos estos años... todos estos años esperando —reclamó Nidia con una inmensa tranquilidad que hubiera podido confundirse con los entrepaños de una afectuosa ternura correspondida. Descubría ahora, al atardecer de su vida, ésta que no tenía en verdad la luminosidad que los rodeaba, la futilidad de todos los improperios y el rencor acumulado en las tres décadas idas. ¿Era esto perdón, era así como decían que se sentía cuando ya se podía morir? La santidad y todos los enhebres del misticismo, ¿es que no eran una forma egoísta de desprenderse de todos los lastres de la vida?

—Todos estos años de represión —musitó condolida— en que estuvimos marcados por un apellido que no nos pusiste, herederos de un afán conspiratorio que no nos delegaste, perseguida, insultada, despedida del trabajo en la escuela del puerto, arrinconada y vigilada en todos los oficios que amamantó la necesidad —recordó, viendo la marea estrellarse contra el malecón— ¿serviría de algo toda esa agua golpeando cada hora contra el mismo muro? —preguntó confundiendo los pensamientos.

—Nidia —replicó él lenta, suavemente— el hombre requiere el peso de los años para aprender a acomodar el arco del golpe. La distancia madura, el exilio hornea y caldea las ideas y los sentimientos, dorando lo que vale y queda. Yo hoy sé que el amor se hace con el tiempo y que sólo los actos del amor sobreviven a la muerte... He vuelto para hacer algo más que presencia.

—Pero todos estos años sin un interés, sin una palabra, un gesto, un brazo a lo lejos...

—Sólo el necio tienta la profundidad del agua con los dos pies, Nidia —reflexionó él.

—... una carta, una noticia, un mensaje, algo que nos recordara que no te nos habíamos muerto...

—Nidia —dijo él tomándole las manos y sin escuchar el apellido ronco de los barcos a la distancia— somos dos viejos solos que pecamos de lo que no teníamos culpa, de nuestros impulsos de jóvenes, de nuestra inexperiencia y del arrebato por encender en un día fuegos que necesitaban ser más caldeados y atendidos —Nidia soltó una mano y se la llevó al rostro: palpó la concavidad de unas arrugas aradas por los hierros del sol— lo que no podemos hacer, Nidia —continuó— debemos enseñar a hacerlo. Personifiquemos el error, Nidia, para que no nos imiten —pidió él.

—Yo no —rechazó ella apartándose abruptamente—, nunca creí que las cosas duraderas se establecieran sobre el riesgo de una aventura.

—Estoy hablando de nosotros, Nidia —protestó él.

—Estoy hablando de todos —corrigió ella.

En la sexta noche de la revolución, el estallido de truenos y la cabalgata de relámpagos de la tormenta tropical apagaban a la puerta las voces de quienes explicaban a contraseña que venían al juego de damero. Los encapotados, iluminados súbitamente por los fogonazos aéreos, destilaban una agua ocre que se les arrastraba por el caucho de las botas de los bananales, que se les desprendía desde el hule de las capas marineras, olorosas a contagio de sudor y pez.

Sobre el mostrador de la sacristía, junto a los cálices refulgentes y los copones dorados, se instaló una lámpara de calafate para el momento en que se detuvieran los motores de electricidad de la Compañía, que los sumiera en oscuridad, y de los bolsones de cuero fueron surgiendo las listas y los planes, las nóminas, las láminas y las minutas descriptivas de los accidentes de puerto y, por fin, tomada por un subrepticio atrevimiento, la carta de marear con su detalles de la dársena y la bocana, por donde podían atravesar el canal los regulares del Hombre. Estaba todo; ahora sólo faltaba designar e investir a los que repartirían la muerte o la vida. La expresión cayó sobre el corazón de todos como el retumbo de un rayo interior.

Ante la vista borrosa y excitada de los siete hombres, Nidia alzó la mano, dispuesta al último esfuerzo de su convicción, pero por más que trató de organizar en un discurso coherente aquel haz disparado de emociones que le reconcomía el espíritu, sólo pudo tironear dificultosamente dos o tres ideas redondas y estables.

—No estamos preparados... —comenzó retorciéndose las manos bajo el faldón de la sudadera húmeda y pegada a las formas del cuerpo—. Mejor dicho —corrigió— no hemos educado a nuestra gente, a los que nos tendrán que seguir, no hay tal generación espontánea, seamos responsables —pidió, pero viendo el gran signo de interrogación dibujado en los ojos de los hombres, ahogó inmisericordemente las palabras—, pero lo que será que sea —dijo—, no me temblará la mano.

El hosco silencio sólo fue interrumpido por el lamparazo de un relámpago que desprendió en iris el cromatismo de los vitrales. Luis Armando presintió el balance de los cerebros, que ponía en peligro la misión. Su orden fue entonces audaz y ejecutiva como un rayo.

—Mañana es el ensayo final —concretó—. Ahora todo está dispuesto.

Nidia empujó el mosquitero de la puerta de la barbería en el mismo momento en que caía agobiado el último rayo de luz y la avenida se empozaba en una claridad harinosa que ensombrecía los callejones y depositaba una película mate sobre los flamboyanes.

Casi simultáneamente se encendieron las luces de la capitanía de puerto, los faroles de la calle y los carboncitos titilantes de los cargueros anclados en el ancho brazo espumoso de la bahía. Oyó a Luis subir de tres zancadas la escalera interior de la barbería y gritarle que se metía bajo la regadera. Abstraída quedó contemplando la pulcritud merecida de su trabajo sobre el empedrado.

—Dame tiempo —dijo Luis Armando— y volveré a ser el mismo.

—Dios no lo quiera —exorcizó ella—, echarías todo a perder.

—Nadie cometería el mismo error dos veces —suplicó él.

"Yo sí", pensó Nidia, pero nada en la armonía de sus gestos reveló la confluencia de vientos encontrados con que la estaba sacudiendo la repetición de su historia personal.

Entonces lanzó por primera vez una baraja en que se conjugaban habilidosamente la esperanza y el reproche.

—Quizás volverías a dejarnos —indicó con oscuridad malignamente femenina— como nos abandonaste en la plantación de azafrán, en vísperas de un parto difícil.

73

Fue la única vez en que contra voluntad le tembló el papel de la voz. Luis Armando se defendió como herido en la oscuridad de la noche.

—No lo hice —reclamó—, fue el mismo día en que fusilaron a los mestizos y mi captura sólo hubiera servido para otras muertes más. Escapé para que no te encontraran, Nidia —confesó él.

—¿Dónde quedaron las listas del movimiento? —preguntó ella.

Luis Armando se revolcó en la incomodidad del recuerdo. Se pasó el pañuelo por la frente y evitó contestar. Sólo después de un insistente silencio tornó a hablar.

—Se las comió un mono —reveló terriblemente avergonzado— en los pasos de las montañas de la frontera.

La risa cristalina de Nidia se expandió por la avenida y sofocó los burbujeos nocturnos que emergían desde el fondo del malecón.

El séptimo día de la revolución no existió y quedó por hacerse. Embanderados bajo una pasión que comenzaba a soltarse violentamente, el breve atraso de la caminata por la playa les permitió arribar a la sacristía en el momento en que se aproximaban felinamente los hom-

bres del Hombre, arma en mano, a extirpar una consa-
gración que no compartían. Fue entonces cuando se
desenvolvió el ciclón de la huída hacia el exterior de las
plantaciones de la cordillera, donde las contradicciones
del gozo y el arrepentimiento entrelazaron un nido de
pudrición impoluta en que agotaron todos los ejercicios
del amor y la culpa. En el vientre de Nidia comenzó a
crecer el fruto de la aflicción y la esperanza.

75

Luis asomó a la puerta de la barbería, abotonándose
apresuradamente la camisa de manta. Del antebrazo le
colgaba un bolsón de trapo en el que podía siluetearse el
contorno rectangular de los libros y los volúmenes arro-
llados de pergaminos. Nidia sintió iluminársele el rostro
por los rubores de la satisfacción, pero no quiso juntar la
mirada con la del hijo, abstraída como estaba barajando
las cartas de una decisión ulterior. A su espalda comen-
zaban a silbar los grillos y a croar los batracios de la
pequeña laguna donde ya reinaba la oscuridad, dueña y
señora de la gestación.

—Me voy, ma —dijo el hombre joven—, esta noche
tenemos reunión de damero en el centro.

Entonces el padre quedó viendo fijamente a la
madre, desenhebrando velozmente las respuestas a pre-

guntas de las que había estado ausente. Nidia sonrió con una profunda e inconsciente gratitud de sí misma.

—Invita al señor contigo —ordenó señalándolo con discreción. Luis pareció no entender de inmediato, confundido por la imprudencia senil de la madre.

—Él —preguntó—... ¿conoce el juego?

—Es un maestro —contestó Nidia—, pero viene a aprender humildemente —recalcó— las reglas que le enseñemos —y se dirigió al interior del edificio, cansada de luchar inútilmente con los escorpiones.

Cuando cerró la puerta del mosquitero y ajustó los pasadores, abril se había quedado ya dormido sobre la inocencia casta de los flamboyanes.

Julio Escoto (1944). Narrador, ensayista y editor. Fue director de EDUCA y en la actualidad dirige el Centro Editorial, en San Pedro Sula. Ha alcanzado, entre otras, las siguientes distinciones: Premio Gabriel Miró, de narrativa, España, 1983; Premio Froylán Turcios, de cuento, Honduras, 1967; Premio Nacional de Literatura Ramón Rosa, 1975.

OBRA. **Cuento:** *Los guerreros de Hibueras* (1967); *La balada del herido pájaro y otros cuentos* (1969); *La balada del herido pájaro y otros relatos* (1985); *Todos los cuentos* (1999); *Historia de los operantes* (2000). **Novela:** *El árbol de los pañuelos* (1972); *Días de ventisca, noches de huracán* (1980); *Bajo el almendro, junto al volcán* (1988); *El General Morazán marcha a batallar desde la muerte* (1992); *Rey del albor madrugada* (1993). **Ensayo:** *Casa del agua* (1975); *El ojo santo* (1990); *José Cecilio del Valle, una ética contemporánea* (1990). **Antología:** *Antología de la poesía amorosa en Honduras* (1975). **Literatura infantil:** *Los mayas* (1954); *El morazanito* (1994).

LA DIGNIDAD DE LOS ESCOMBROS

JORGE MEDINA GARCÍA

El hombre recobró la energía de sus músculos y se levantó de la cama. Su mujer había encendido el fuego y un reciente olor a café llenaba el cuadrilátero de adobe. Él se calzó los zapatos sin introducir los talones y, usándolos como si fuesen pantuflas, salió a un patio enlodado.

Retazos de neblina impedían el paso de los primeros rayos del sol y ocultaban a trechos las otras casitas de adobe, lata y madera que cercaban la pila y el grifo solitarios. Se acercó allí y, despojándose de los zapatos aplastados y de la cobija que lo cubría, se quedó en calzoncillos.

Se bañó con urgencia, echándose cubetazos de agua helada sobre la milagrosa espuma que logró producir sobre su erizado pellejo una laminilla de jabón que moría sobre el lavadero. El sujeto expulsaba bocanadas de aire caliente, como si fuera un fuelle.

Después del baño se envolvió de nuevo en la cobija, metió sus pies mojados dentro de los zapatos y reapareció en la estancia, tiritando de frío. Un plato con frijoles y huevos fritos, custodiado por tortillas y café caliente, lo esperaba sobre la mesa del lugar. Comió con avidez, menos por hambre que por prisa, y su oído trató de escuchar las noticias de la radio que desde un cuarto contiguo sonaba con las primeras noticias, buscando averiguar la exactitud del momento.

La mujer adivinó su intención y le dijo:

—Acaban de decir que son las cuatro y media. Comé tranquilo.

Al beberse el último sorbo de café, siempre envuelto en la sábana, volvió a la pila. Se lavó los dientes y retornó para vestirse el uniforme, un pantalón de gruesa tela azul oscuro, camisa blanca de mangas cortas, tosca corbata negra y un logotipo en el hombro con una L, una S y una M doradas.

Mostrando un calcetín de punta agujereada que cubría su pie derecho, se acomodó mejor los zapatos aún enfangados y los limpió con un pedazo de periódico.

Abría la puerta para marcharse, cuando escuchó la voz infantil que brotaba desde un bulto de trapos en la cama:

—¿Ya te vas, papi?

Él regresó y se sentó a un lado del lecho. Se inclinó sobre una carita ansiosa que alzaba los brazos.

—Sí —le susurró.

—Pero te voy a traer alguna cosita —añadió más alto, mientras besaba las pálidas mejillas de la criatura. Luego, desprendiéndose suavemente de los bracitos, se levantó y se fue con un simple nos vemos.

—Vaya, Pluto, nos vemos —le respondió la mujer, que ahora lavaba los platos dentro de una tina de plástico.

Al bajarse del autobús, el hombre vio que uno de sus compañeros de trabajo, también uniformado, lo esperaba. Juntos se encaminaron a la sucursal del banco que custodiaban unos pocos metros más adelante.

—Buenas —saludaron al individuo que les franqueó el paso y agitaba un reloj de mesa ante uno de sus oídos.

—Buenas —les respondió éste, con idéntica displicencia.

En una habitación encontraron a otro guardia que bebía café de un termo chorreado con andaduras del líquido. Hubo un intercambio de armas y los dos hombres que estaban en el lugar se marcharon.

—Nos vemos en la tarde —dijeron.

Los recién llegados comprobaron la carga de las pistolas y de las escopetas, contaron las municiones sobrantes e hicieron la rutina de la inspección. Después se dirigieron uno hacia una puerta trasera a esperar el ingreso de los empleados y el otro a vigilar la fachada del edificio.

Pluto, que había quedado en la parte interior, abrió la puerta translúcida, primero a tres cajeros que llegaron simultáneamente, luego a una aseadora urgida y preocupada y, más tarde, a dos contadores y a las secretarias.

Todos llegaban húmedos y taciturnos, como si aún anduvieran circulando dentro de sus sueños.

Encendieron el aparato de aire acondicionado y de nuevo Pluto sintió frío. Vio sus zapatos y los percibió opacos y mojados, tristemente expuestos a la certera reprimenda del gerente, quien usaba cualquier pretexto para exhibir su autoridad de un modo oprobioso.

—Otra puteada segura —pensó sin disgusto.

Inusitadamente, desde afuera, su compañero empujó la puerta con excitación y él estuvo a punto de protestar. Se contuvo cuando vio al gerente que venía detrás, precediendo a un hombre desconocido y mal encarado.

Pluto creyó que algo estaba sucediendo, pero se hizo a un lado con respeto y dejó pasar sin trabas a los visitantes. Agradecía el hecho de que el jefe no pareciera interesado en buscar defectos a su vestuario, como en otras ocasiones, cuando sintió el empuje feroz de un objeto duro en sus costillas, junto a unas palabras altaneras:

—Esto es un asalto, hijos de puta. Al perro que se atreva a moverse, me lo quiebro.

Pluto tenía la escopeta en su diestra. Recibió un brutal empujón y estuvo a punto de caerse. Le ordenaron a gritos que la soltara.

El hombre que le apuntaba con un revólver no estaba ahora a más de cuatro metros de su cuerpo y desde afuera se acercaban otros dos sujetos, con sendas pistolas enfiladas hacia el grupo. Vio que el otro vigilante estaba desarmado y levantaba las manos, sin que nadie se lo pidiera.

Escuchó lamentos, oyó sollozos y descifró el lloriqueo del jefe, que decía:

—No me vayan a matar, por favor.

Nadie lo esperaba. Ni siquiera él mismo. Pero Pluto creyó que había llegado el momento de ganarse su sueldo. Se lanzó a un lado para eludir la línea del arma que apuntaba a su costado y metió, con un rapidísimo correr de su mano izquierda, el primer cartucho en la recámara de la escopeta.

Escuchó una explosión y agredió su cintura una mordida de fuego; el primer bombazo que hizo le llevó parte de la cabeza al sujeto que lo hería y al garrafón con agua que descansaba sobre una máquina enfriadora.

El segundo estruendo mandó de culo contra la puerta, que se desmigajó en cristales, a uno de los tipos que se aproximaba amenazadoramente. Sin embargo, no pudo evitar que el otro disparara.

Aunque sintió la conmoción en el pecho, jaló el gatillo una tercera vez. Un televisor explotó y el último ladrón perdió su hombro izquierdo. Entre quejidos, cayó revolcándose en su sangre, sobre la ávida alfombra.

Con la mirada vidriosa y el uniforme empapado, Pluto dio unos pasos vacilantes en derredor buscando nuevos enemigos. Quedaba un paisaje de sangre y de catástrofe. Vio a los empleados presas de sus nervios, pero ya no distinguió nada amenazante.

Se sintió débil y fatigado y se sentó muy cuidadosamente sobre el piso, deslizando la espalda contra una pared. Aún conservaba, olorosa a pólvora, el arma entre sus manos.

Alcanzó a ver al otro vigilante que aún mantenía los brazos suspendidos y al gerente, cerca de sus pies, que permanecía ovillado en el suelo y temblaba convulsivamente. Bogaba en un mar de llanto, sin que pareciera estar interesado en reprender a nadie.

Entonces Pluto cerró los ojos. Comenzaba a pensar en su familia cuando le llegó la oscuridad.

Jorge Medina García (1945). Narrador. Se dedica a la docencia y a la radiodifusión; realizó estudios de Literatura. Es uno de los narradores actuales más destacados en el ámbito nacional.

OBRA. **Cuento:** *Pudimos haber llegado más lejos* (1989); *Desafinada serenata* (2000); *La dignidad de los escombros y otros cuentos* (2002). **Novela:** *Cenizas en la memoria* (1994).

EL FANTASMA DEL DOCTOR KOESTLER

ROBERTO CASTILLO

Carlos Garrido Dalfau era magnífico conversador y pésimo prosista. La savia de su conversación discurría fluida, como un torrente de erudición lleno de lugares comunes, pero matizado con misterio. Y es que el misterio estaba en él, no en su prosa. Le abandonaba cuando pasaba del lenguaje hablado al escrito.

Como cirujano solamente llevó la cuchilla tres veces. Y los tres pacientes murieron. El gremio se conmocionó y no le permitió operar nunca más. Él, entonces, montó una cadena de casas de salud que se convirtieron pronto en atractivas y jugosas empresas. No sabía manejar la cuchilla, pero aprendió bien el arte de dirigir a otros médicos.

Yo lo conocí bien y comenzamos una amistad condenada a romperse pronto. Fue en el 39. Volamos juntos hacia Panamá. Era muy corpulento y cada vez que se movía —porque iba incómodo en su asiento— daba la impresión de que el avión iba a caerse. Y se cayó poco después de la escala en Managua. Logramos aterrizar de emergencia en un potrero, cerca de Rivas. Tardaron por lo menos cinco horas en reparar la máquina. Los mecánicos no podían hacer nada y él sorprendió a todos cuando detectó la falla.

—Es ahí. Ahí mismo la tiene usted —dijo con una voz demasiado suave. Nadie parecía entenderle. Con el dedo señalaba hacia la tuerca que estaba cerca de un pistón.

Arreglaron la máquina, pero nadie quería arriesgarse a volar otra vez. Él fue el primero que se subió, muerto de risa. Y todavía se bajó nuevamente y convenció a dos ancianas estremecidas de pánico que se aferraban a un rosario. Puso las manos en el hombro de cada una y las llevó hasta los asientos.

Nadie sabía por qué motivo viajaba él. En Panamá lo esperaba una comitiva muy extraña. Quiso presentármelos a todos, pero yo me despedí moviendo la mano desde lejos. Al día siguiente, mientras caminaba por la Avenida Central, me dieron una hoja volante de tono enigmático:

GRAN OBRA
DE ACTUALIDAD CIENTÍFICA

La *Enciclopedia de la salud*, del Dr. Koestler, recientemente traducida del húngaro al castellano, es una obra que a lo cómodo de su precio une su magnífica calidad tipográfica. Unica en su género por la forma rigurosa y novedosa como trata temas que han sido tabú para la misma ciencia, entre ellos la sexualidad y las enfermedades mentales. Necesitamos representantes en varios países.

Yo sospeché que la propaganda de la hoja volante tenía algo que ver con Carlos, pero no me lo tomé en serio. A los cuatro días regresamos en el mismo avión. Desde que nos encontramos en Campo Francia, lo noté con ganas de evadirme; fui a saludarlo como si no pasara nada. Declaró su equipaje y los demás pasajeros nos volvimos a ver las caras pensando exactamente lo mismo: que jamás lograríamos despegar con tanto peso encima. Eran cajas y más cajas con el rótulo muy claro, en letras grandes: ENCICLOPEDIAS. No abrió la boca durante todo el vuelo. Aterrizamos y él se despidió de mí con mucha prisa; luego tomó un camión que se lo llevó con todo su cargamento. No lo volví a ver en semanas.

A los pocos días la ciudad amaneció tapizada con la enciclopedia del Dr. Koestler. Los tomos verdes estaban en las librerías, tiendas, farmacias, quioscos, parques, aceras y atrios de las iglesias. Yo no lo podía creer. Y lo que más redoblaba mis sospechas era que no había visto a nadie abriendo uno solo de esos libros, sellados y envueltos en papel de celofán. Quise salir de mis dudas. Saqué dinero de mi bolsillo y me acerqué a un puesto de venta. Pregunté a la mujer el precio de una colección y ella enrojeció de vergüenza; puse mi mano encima de un ejemplar y me la apartó con indignación. Me quedé confundido. Pensé que se avergonzaba de venderme a mí, un hombre, esa enciclopedia. Al fin y al cabo estaba dedicada a la sexualidad y posiblemente era pornografía disfrazada. No me dio pena seguir preguntando, pues todo el mundo sabía que yo era médico.

Entré a la librería más cercana. No había terminado de señalar hacia los volúmenes, cuando el dueño me gritó:

—¡Pero es que no tiene otra cosa que hacer, cretino!

No me había reconocido. Me sentí confundido y en el más completo ridículo. Los clientes comentaban sin ninguna discreción que yo era el que había tenido el atrevimiento de preguntar por la enciclopedia del doctor Koestler. Nervioso, me fumé dos cigarrillos. Compré un periódico cuya primera plana exhibía el más gigantesco titular que se hubiera visto jamás:

¡DR. KOESTLER!

Monté repentinamente en cólera y decidí aclarar el misterio de una vez por todas. Pensé que lo mejor sería dar un rodeo, tender yo una trampa para no ser atrapado tan estúpidamente, ser yo mismo el atrapador. Corrí hacia la farmacia América y me dirigí a uno de los dependientes. Sergio sonrió al verme. Inclinándome sobre él y sin decir palabra, hice con la mano la seña de siempre. Di mi espalda a dos señoras, para que no vieran lo que compraba.

—Le doy de la misma marca, ¿verdad, doctor?

Luego me pasó disimuladamente el paquetito de profilácticos y yo lo cogí sin que nadie se diera cuenta. Sergio puso su eterna sonrisa bobalicona y me dijo:

—Siempre compra su marca preferida. De los que no fallan un solo tiro.

Le seguí la corriente.

—Es que debemos usar lo que tienen probado y recontraprobado ustedes, los jóvenes —contesté.

Disparó a quemarropa una carcajada abierta que atrajo hacia nosotros las miradas de los clientes.

—¡Doctor, doctor! ¡Usted sí que se las sabe todas! ¡Y las que no, se las inventa!

—Y ahora nos vamos a inventar una de las buenas —dije resuelto, ya seguro de mí mismo, estimulado el ánimo por las bromas—. Quiero que me des una colección de esos tomitos enciclopédicos que tienes a tu derecha. Voy a disponer de todo el santo día para hojearlos.

Su expresión cambió violentamente. Dejó de reír y no me contestó. Por encima del mostrador me lanzó una bofetada que yo esquivé a tiempo.

—¡Fuera de aquí! —me gritó, señalándome la puerta.

Los presentes me veían rabiosos y con los ojos me decían lo mismo que el dependiente, que me fuera.

Era el colmo. Justo en ese momento, Carlos Garrido Dalfau traspasaba la puerta de la farmacia Unión, calle de por medio. Corrí a su encuentro, ya neurasténico, y me puse a su lado. Él se secreteaba con un caballero vestido de blanco a quien yo no conocía. Ni saludé siquiera. Ya no me importaba parecer mal educado. Tomándolo del brazo, le dije:

—¡Carlos!

Un brillo alegre iluminó con gran fuerza su frente y sus ojos se movieron complacidos.

—¡Pero si es usted, mi dilecto colega! ¿A qué debo el honor de su conversación tan mañanera?

—Carlos, hay una situación extraña y tal vez delicada de la que debo hablarle. Se trata de la enciclopedia de un tal doctor Koestler. La que usted traía de Panamá el día que volamos en el mismo avión. ¿Se acuerda?

—Es imposible que me acuerde, porque yo no traía ninguna enciclopedia. Usted está confundido y muy excitado. Venga, tómese una taza de café conmigo para que se tranquilice.

Salimos. Misteriosamente, ya no había ninguna enciclopedia en la calle. Habían desaparecido todas. También de las librerías y de las farmacias.

No conseguí sacarle ni una palabra. No quiso creerme nada y me mandó a casa. Que no fuera a trabajar en ese estado, me recomendó. No quise hacer el ridículo y preferí callar. Pedí perdón por lo que había dicho y me despedí.

No hice casi nada ese día. Atendí sin ganas a los pocos pacientes que llegaron a la clínica y después de almorzar hice una larga siesta. Mi esposa pasó pendiente de mí. Yo no quise contarle nada. Esa noche abrí la ventana para que entrara un poco de aire fresco a mi dormitorio. En la cima de El Broquel, el cerro más alto de los que rodean la ciudad, un gran rótulo luminoso rezaba:

¡DR. KOESTLER!

No pude más. Tomé el teléfono y llamé a Carlos. El gran sinvergüenza hizo como que estaba malo su aparato y no podía oír mi voz. Colgó. Yo estaba furioso. Llamé a los periódicos, a las estaciones de radio, a familiares y amigos, pero todos me aseguraban que no veían nada. Por último decidí participar a mi esposa del misterio. La llevé a un balcón y apunté con mi mano hacia el cerro.

—Allí no hay nada —me dijo.

Y era cierto. Ya no había nada. El rótulo había desaparecido.

Al día siguiente me levanté de mal humor. Aguardaba impaciente la llegada del periódico. Estaba decidido a recorrer calles y todo tipo de comercios hasta aclarar lo de la enciclopedia. Por un momento pensé que todo era una broma grosera y de mal gusto de Garrido Dalfau, pero no esperaba de él una cosa así.

Media hora más tarde seis policías llamaron a mi puerta. Preguntaban por mí mostrando una orden de allanamiento y captura. No podía creerlo. Me acusaban de mantener escondido a un agente de la Comintern que se movía a través de varios países de América, un tal doctor Koestler. También traían una hoja de papel, enigmática y dudosa, donde el general español Queipo del Llano describía con su puño y letra los hábitos y características del extraño personaje. Mis captores sostenían que varios médicos de la ciudad, entre ellos el doctor Carlos Garrido Dalfau, estaban conjurados con el peligroso terrorista. Al menos tuve el consuelo de comprobar que el misterio pasaba por él.

Como nos pusieron en la misma celda, no me contuve. Salté hasta su cuello, me prendí de él y reclamé furioso:

—¿Se da cuenta de lo que me ha hecho? ¡Por su culpa estoy metido en semejante lío! ¡Por lo menos explíqueme quién es ese tal doctor Koestler que parece haber enloquecido a la ciudad entera! ¿A qué viene lo de las enciclopedias?

Se puso histérico y empezó a gritar como si yo lo estuviera matando. Dos guardas entraron y se lo llevaron a otra celda. Desde la distancia, el muy lépero[1] me hizo un gesto de adiós que era una verdadera burla.

Me las vi mal por un tiempo y mi economía sufrió un duro golpe al depositar la fianza. No pudieron probarme nada. Salí absuelto. Los demás, incluido Carlos Garrido Dalfau, también. Las enciclopedias desaparecieron y

[1] *Lépero:* Sinverguenza.

nunca se las mencionó en ninguna parte. Tampoco al doctor Koestler. Para la ciudad fue como un episodio que no existió nunca.

No me quedó más que volverme enemigo de Garrido Dalfau. Algunos caballeros, especialmente médicos, intentaron mediar para que se reconciliaran dos hermanos masones. Yo no hubiera podido volver a estrechar su mano y por eso me salí de la masonería. Inexplicablemente, él también había llegado a odiarme y, por el mismo motivo que yo, se hizo exmasón.

Muchos creen que su maldad empezó de viejo. No es cierto. Ya de joven era malo. A los veintitantos años fue enviado a La Mosquitia, donde aportó mucho al desprestigio de la profesión médica. Repartió medicinas y fondos de gobierno como si fueran regalos salidos de su bolsa. Exterminó el geñirol, mamífero acuático cuyo aceite pagaban a precio de oro los laboratorios suizos. Ya se rodeaba de una turba infame de aduladores que décadas más tarde lo proclamaron genio de la ciencia y en esos días organizaron un acto que recordó la vergonzosa coronación de Kingston.

Una mañana tuvimos un encontronazo. Yo evitaba coincidir con él en reuniones de cualquier tipo o en la calle. Si lo veía venir, me cambiaba inmediatamente de acera y seguía de largo. Esa vez fue inevitable. La acera era muy alta y yo había olvidado traer mi bastón. No tuvimos más que toparnos frente a frente. Ninguno de los dos quiso ceder el centro. Parecíamos dos animales enloquecidos disputándose la posesión de una covacha. Fue un pleito estúpido, sin sonido pero con furia. Inconscientemente, yo actué como si anduviera con el bastón en la mano y empujara con él al protervo. Perdí el equilibrio. Él se aprovechó para dejarme en la pura orilla, con dos metros y medio de altura a mis espaldas. Desesperado, le agarré la corbata y le dije cuatro veces "sapo". Él, tan grandote, tomó la ventaja del gorila y se pudo zafar de mí con sus manazas. Pero yo prefería morirme a retroceder; y entonces le eché encima el peso de mi tronco. Él no lo esperaba y se quedó asustado, el muy cobarde. La gente se había congregado en la calle y gozaba con el espectáculo.

—No te olvides que somos doctores, imbécil —le dije—. Hay que comportarse al menos como practicante.

Pero los practicantes del Hospital General San Felipe eran los que más reclamaban pelea de verdad.

Él ya estaba morado de la rabia que se cargaba. Me seguía agrediendo con su mirada de orate, como queriendo hipnotizarme. Siendo sus brazos tan largos, como los de todos los simios, me soltó un puñetazo que no pude esquivar. No logró tumbarme porque me agarré de una verja con las dos manos. No aguantaba el dolor, pero le coloqué un puntapié en la barriga. Él también tuvo que aullar por el golpe y se replegó para atacar de nuevo. Un grupo de respetables caballeros intervino eficientemente. Nos llevaron por la misma acera, a cada uno en dirección contraria. Nunca olvidaré lo bochornoso del espectáculo ante tanta gente de la calle que gritaba:

—¡Que venga ya! ¡Que corra sangre de doctores!

Acostumbraba repetir sentencias famosas y ponerlas como propias. Así satisfizo parte de su megalomanía, haciéndose pasar por pensador original. Cuando le dio por decir que la naturaleza "es un libro abierto, escrito en lengua matemática", su coro de aduladores aclamó el plagio descarado y lo calificó de profunda y actualizada reflexión. Yo denuncié esta explotación de las tinieblas ambientales durante una conferencia en el Club Rotario. Demostré que la sentencia era de Galileo. Uno de sus comparsas tuvo el cinismo (¿o su ignorancia era tan grande?) de "refutarme". En tono exaltado, a gritos, me interrumpió y dijo que yo hablaba falsedades, pues en ninguno de los evangelios se afirmaba que la naturaleza fuera matemática y esa máxima, por tanto, no procedía del Galileo sino del doctor Carlos Garrido Dalfau.

Desde entonces cambié mi estrategia. Jamás lo volví a enfrentar en público, sino que me encerré a trabajar en esta biografía que mostrará la relación entre Garrido Dalfau y el extraño doctor Koestler. Mi lucha es heroica; no sólo ante la escritura, sino sobre todo para mantener el texto a salvo de miradas indiscretas. Acariciaba con la mente un título precioso: *El laberinto de su soledad*, pero me acabo de enterar que en México han editado este año y hace furor un libro de igual denominación.

Roberto Castillo (1950). Narrador y ensayista. Estudió Filosofía en la Universidad de Costa Rica. En 1984, ganó el Premio Latinoamericano de Cuento Plural, México; en 1986, obtuvo el segundo lugar para cuentos inéditos, en el concurso auspiciado por el Ateneo Cultural de Buenos Aires, Argentina. En 1992, recibió el Premio Nacional de Literatura Ramón Rosa.

OBRA. **Cuento:** *Subida al cielo y otros cuentos* (1980); *Figuras de agradable demencia* (1985); *Traficante de ángeles* (1996). **Novela:** *El corneta* (1981); *La guerra mortal de los sentidos* (2002). **Ensayos:** *Filosofía y pensamiento hondureño* (1992); *Del siglo que se fue* (2005).

ATTA

RONY BONILLA

El obrero Atta salió del laberinto de túneles y asomó por el montículo de tierra desgranada, semejante a un volcán. Se llenó de brisa cálida y vio al jardín que posaba, disminuido, pero alborozado, bañado del sol de la mañana.

—Bonito panorama —pensó, corriendo la vista a los restos de un tapial en ruina, que se unía a la cerca del solar.

Distinguió en lo alto del muro a un garrobo[1] que, erguido desde el pecho, apoyado en sus manos, miraba al sol. Pensativo.

Atta se dejó rodar pendiente abajo. Al caer al pie del bulto de tierra, se sacudió y emprendió la caminata como un autómata, sin prisa. Dejaba entrever un malestar de sentimientos, propio de los humanos, hurgando a uno y otro lado del camino, abundante en recovecos.

—Holgazán. Sí, es un vivo haragán. Come y duerme y como todo un guapo se pone al sol. Después, come y

---

[1] *Garrobo:* Especie de iguana de fuerte piel escamosa que abunda en los lugares cálidos.

duerme y vuelve a contemplar el sol. Nunca lo he visto hacer algo decente. Sin duda, lo matará un cáncer de piel o un infarto... —rumiaba y movía la cabeza despreciativo.

Cabizbajo avanzó por el camino metido entre la hierba. En su ruta ascendía un tramo de pared de la casa; bordeaba con dificultad una columna de concreto, que dividía la ventana en dos y luego, descendía más adelante. Al caer de nuevo al linde de hierba, enfilaba a donde estaba el árbol que afanoso deshojaba.

Cuando llegó por su viaje 4957, subió a la punta más alta y con su bárbara tenaza cortó en semicírculo la última hoja de la acacia.

Atta trabajaba día y noche, perenne, sin descansar ni una gota. En el invierno recolectaba hojas tiernas, y desplumaba las flores en la primavera. Sin embargo, el otoño y el verano eran tiempos de crisis; pero él, próvido, siempre abarrotaba de sabrosa pulpa las trojes de la galería. Nada le producía mayor satisfacción que ver a su prole con el estómago repleto de alimento y el corazón contento.

Nunca sospechó Atta un verano tan largo. Los reclamos por comida de su reina, soldados y linaje, le tenían en apuros, al borde de la exasperación. El hambre arreciaba y el jardín asolado, ardía de sol.

Como un loco deambuló por todo el patio buscando cualquier cosa que pudiera ser comestible. Al rebatir el jardín y no encontrar nada, se atrevió a ir más allá de la colindancia de su territorio y llegó al pie de un árbol desnudo; lo rondó rebuscando entre la broza y encontró una semilla de sipia, plana y ahusada. La tanteó y le pareció alimenticia. Avistó en derredor y se alegró de no ser descubierto por los posibles vigilantes de ese sector. Pulsó la semilla por todos lados y aunque era más grande que su cuerpo, se dispuso a cargarla; la prensó fieramente con sus duras mandíbulas, clavándolas en el ojo de la semilla; sembró sus patas en la tierra y recogiendo toda la fuerza en el cuello, impulsó hacia arriba y la levantó, quedando sostenida en la cabeza, un tanto inclinada a la espalda. Trastabilló como un ebrio y a duras penas logró por fin estabilizar el centro de gravedad del objeto. Luego, empezó a caminar con la mayor concentración en la carga, cuidando de no tropezar.

Llegó al muro y se detuvo; por un largo rato quedó indeciso, preocupado. De pronto, resuelto, tomó impulso y vehemente inició el ascenso por la pared, esforzado a reventar; sujetándose tenazmente del áspero revoque, seguía la ruta establecida; parecía torpe en los movimientos que obedecían a su pericia biocinética acumula-

99

da a lo largo de toda su vida. Logró subir hasta el batiente de la ventana; continuó la marcha con las patas aguadas, gacho y muy agitado de cansancio, arrastrando el abdomen, lidiando de cuando en cuando contra leves olas de brisa caliente que azotaban su carga. Chocó en la columna de concreto y quedó por un rato descansando, luego se puso de costado y aplastó la dura cabeza e inclinó la semilla en la columna, sosteniéndola a medias. Recuperaba fuerzas. Después, porfiado, aún temblándole las patas, resolvió superar el obstáculo por donde había pasado miles de veces portando otras cargas. Denodado equilibró el peso y se encaminó al recodo en la orilla de la superficie. En todo su cuerpo de bronce era evidente un semblante de honda fe. Ya en el filo del abismo, al ver la profundidad gris, sintió por vez primera un breve vértigo que le extrañó y se lo achacó al cansancio. Tiró la mirada a la ruta y con esfuerzo sobrehumano fue ladeándose lentamente con toda precaución. Su expresión connotaba una espantosa angustia por mantenerse sujeto al revoque. La gravedad de la semilla lo precipitaba al abismo, arrancándolo poco a poco de su férrea resistencia, al tiempo que él cabeceaba tratando de soltar el peso que lo tiraba hacia abajo. Cayó al fondo, pesado, sobre la tierra a escasos centímetros de una piedra negra y angulosa.

Aturdido y sordo, a causa del violento impacto, viendo estrellitas en pleno sol y aún prendido de la semilla, se revolvió en sí mismo y logró ponerse de pie, torciendo el cuello por el peso. Despejó los ojos y levantó la carga. Vio la piedra y pensó:

—De la que me salvé.

En la sombra, entre la excoriación de tierra a la orilla de la roca, envueltos en la fúnebre penumbra, asomaban dos enormes ojos, beodos y horrorosos, que observaban a Atta fijamente. Los ojos fríos le punzaron el alma y lo dejaron pasmado. Lleno de pánico, Atta reaccionó velozmente y luchó por zafarse de la semilla, pataleó con desesperación, aplicó toda su experiencia y habilidad y no pudo destrabar las tenazas del ojo de la semilla; pensó en huir a como diera lugar y empezó a retroceder arrastrando el peso. De repente se sintió tirado violentamente y, en milésimas de segundo, un cuerpo blando y pegajoso lo encerró en la más completa oscuridad. Aplastado junto a la semilla, un líquido ácido lo bañó, dorándole la vida.

—La reina morirá de hambre —pensó y cerró los ojos.

Al pie del muro, justo bajo la ventana, y a la hora cuando el sol caía vertical, tostando el jardín, el sapo, enemigo natural y a muerte de Atta, con una seriedad que daba miedo, palpitaba la garganta.

El garrobo continuaba en el tapial, tomando sol. Dio un bostezo y cambió de pose, engreído.

Rony Bonilla (1956). Narrador y poeta. Labora como docente de educación media en la sureña ciudad de Choluteca. Es miembro fundador de la Asociación Literaria del Sur Ramón Padilla Coello.

OBRA. **Cuento:** *Atta y ottros cuentos* (1996); *Bajo el sol del mediodía* (2002).

RICARDO CORAZÓN DE LEÓN

LETY ELVIR

¡Jueputa, jueputa, jueputa! Fueron las primeras tres palabras que pronunció don Ricardo años después de aquel accidente automovilístico que lo dejó mudo y parapléjico, que lo aisló del mundo como si estuviera en coma.

Doña Ana no se cansa de repetir entusiastamente, a todo aquel que se disponga a escucharla, los progresos de su esposo; parece una mamá cursi que llora y salta de emoción cuando su pequeño hijo ha comenzado a hacer sus primeros pininos. A medida que el tiempo pasa, don Ricardo va ampliando su vocabulario aunque nadie lo entiende, excepto doña Ana. Las primeras tres palabras pronunciadas en el día de su despertar son las únicas inteligibles para el resto de la familia.

Contra todo diagnóstico, don Ricardo ya colabora cuando su esposa lo está bañando, pues su lado izquierdo funciona más o menos bien, es el lado del corazón, por eso los vecinos ahora lo llaman don Ricardo, Corazón de León. Sin embargo, todavía no puede ponerse los supositorios ni contener la baba que permanentemente gotea, mucho menos golpear con la escoba a doña Ana cada vez que ésta regresa tarde cuando sale a la calle.

También ha aprendido a torcer la boca (hacia el lado izquierdo), a arrugar la cara (del lado izquierdo) para reclamarle a su esposa si la casa no ha sido barrida y trapeada, o si no le da la comida al tiempo que siente hambre, o cuando los celos le riegan ponzoña en toda su existencia.

En este último caso a doña Ana le entra musepo[1], cólera y los tristes recuerdos de cuando él estaba sano y la maltrataba. Entonces ella lo queda viendo fijamente a los ojos, se le acerca despacio como felina al ataque, se inclina sobre el rostro de él con mirada sarcástica y le grita: Sí, vengo de ver al otro, él sí que me trata bien, me da el dinero de su pensión, no es mujeriego como usted, ni me hace todas las pillerías que usted me hizo cuando joven. Por eso vine tarde, él me hace sentir una señora,

---

[1] *Musepo:* Tristeza.

me toca, me acaricia y no es como usted que nada puede hacerme, por eso vine tarde, ¿y qué?

Además, yo no soy su criada, ¿por qué no barre usted?

Don Ricardo, al oír las frases de su esposa, se adueña de la escoba que siempre mantiene al lado izquierdo de su silla de ruedas y con el brazo izquierdo la lanza contra doña Ana, que ya se ha alejado de él; no le atina, el golpe no llega hasta donde lo proyectó. Entonces don Ricardo, Corazón de León, no tiene más alternativa que blandir de manera amenazante su brazo izquierdo y gorjear las tres palabras mágicas: *¡jueputa, jueputa, jueputa!*

Doña Ana reaparece y sonríe vengativa, se sienta enfrente de su esposo, en la mesa del comedor, y comienza a contar un rollito de billetes, que don Ricardo cree que le dio el otro. Se levanta, busca un bolígrafo y comienza a hacer la lista de medicinas y otras cosas que necesita comprarle a su esposo.

En la oficina bancaria todos saben que doña Ana regresa tarde a su casa algunas veces al mes, porque las filas para pagar los servicios públicos o cobrar el raquítico cheque de la pensión de su esposo son más largas de lo esperado, a pesar del rótulo de preferencia para los de su edad.

¡Jueputa, jueputa, jueputa! Sigue murmurando don Ricardo, Corazón de León.

Lety Elvir (1966). Poeta y narradora. Es licenciada en Letras, profesora de Educación Media y egresada del Doctorado Interdisciplinario en Letras y Artes en América Central, UNA de Costa Rica. Es miembro de la Asociación Nacional de Escritoras de Honduras y de la Asociación Costarricense de Escritoras. Obtuvo el primer lugar del Premio de Poesía Embajada de Chile, 1996; Primer Premio Internacional 1997, de la VIII Bienal Internacional de Poesía, auspiciado por la revista *Correo de la poesía*, de Valparaíso, Chile; también se hizo acreedora al primer lugar en el Certamen Internacional de Cuentos de la Universidad Nacional de Costa Rica, sede regional Brunca, 2002.

OBRA. **Poesía:** *Luna que no cesa* (1998); *Mujer entre perro y lobo* (2001). **Cuento:** *Sublimes y perversos* (2005).

ÍNDICE